SERENA VALENTINO

A HISTÓRIA DO PRÍNCIPE DA BELA

São Paulo
2021

Adapted in part from Disney's *Beauty and the Beast*
Copyright 2014 © Disney Enterprises, Inc.
Published by Disney Press, an imprint of Disney Book Group.
All rights reserved.

© 2016 by Universo dos Livros
Todos os direitos reservados e protegidos pela Lei 9.610 de 19/02/1998.
Nenhuma parte deste livro, sem autorização prévia por escrito da
editora, poderá ser reproduzida ou transmitida sejam quais forem os
meios empregados: eletrônicos, mecânicos, fotográficos, gravação ou
quaisquer outros.

Diretor editorial: **Luis Matos**
Gerente editorial: **Marcia Batista**
Assistentes editoriais: **Aline Graça e Letícia Nakamura**
Tradução: **Alline Salles**
Preparação: **Laura Moreira**
Revisão: **Nina Soares e Francisco Sória**
Arte e adaptação de capa: **Francine C. Silva e Valdinei Gomes**

Dados Internacionais de Catalogação na Publicação (CIP)
(Câmara Brasileira do Livro, SP, Brasil)

V236f Valentino, Serena
   A fera em mim : a história do príncipe da Bela / Serena Valentino ; tradução de
Alline Salles. – São Paulo : Universo dos Livros, 2016.
   192 p.

   ISBN 978-85-7930-997-7
   Título original: The Beast within

   1. Literatura infantojuvenil 2. Ficção I. Título II. Salles, Alline

   16-0168   CDD 028.5

Universo dos Livros Editora Ltda.
Avenida Ordem e Progresso, 157 - 8º andar - Conj. 803
CEP 01141-030 – Barra Funda – São Paulo/SP
Telefone/Fax: (11) 3392-3336
www.universodoslivros.com.br
e-mail: editor@universodoslivros.com.br Siga-nos no
Twitter: @univdoslivros

Dedicado ao meu amor maior, Shane Case

— Serena Valentino

Capítulo I

As bruxas no
jardim das rosas

A Fera estava no jardim das rosas, o perfume forte das novas flores o deixava meio tonto.

Seu jardim sempre parecia ter vida própria, como se as parreiras retorcidas pudessem se entrelaçar em seu coração acelerado e acabar com sua ansiedade. Havia épocas em que desejava que elas fizessem isso, mas agora sua cabeça estava cheia de imagens da bela mulher em seu castelo: Bela, tão corajosa e nobre, disposta a ficar no lugar de seu pai como prisioneira na masmorra. Que tipo de mulher faria isso: desistir da própria vida assim, sacrificando a liberdade pela do pai?

A Fera se perguntava se era capaz de tal sacrifício. Perguntava-se se era capaz de amar.

A FERA EM MIM

Ele ficou lá parado, observando o seu castelo do jardim. Tentava se lembrar de como era antes do feitiço. Estava diferente agora... ameaçador e vivo. Até os pináculos do castelo pareciam, de forma consciente, apontar para o céu com violência. Ficava imaginando como sua propriedade era vista de longe. Altiva e autoritária e localizada no topo da montanha mais alta do reino, parecia ser cortada pela própria montanha, rodeada por uma floresta repleta de criaturas selvagens perigosas.

Somente quando foi obrigado a passar sua vida escondido atrás daqueles muros miseráveis que analisou à sua volta realmente olhando e, de fato, *sentindo*. Agora ele contemplava a luz da lua que provocava sombras sinistras nas estátuas que flanqueavam o caminho que ia do castelo ao jardim – criaturas aladas gigantes mais assustadoras do que qualquer outra coisa das histórias antigas que os professores de sua juventude o fizeram estudar. Ele não conseguia se lembrar se aquelas esculturas estavam ali antes de o castelo e suas terras serem amaldiçoados.

Houve muitas mudanças desde que as bruxas fizeram seus encantamentos. O jardim podado em forma de animais, por exemplo, parecia rosnar para ele enquanto perambulava pelo labirinto em tardes como esta, na tentativa de esquecer os problemas.

Ele já se acostumara com os olhos observadores das estátuas que o vigiavam quando não as estava encarando diretamente – e conseguia ver seus movimentos discretos

AS BRUXAS NO JARDIM DAS ROSAS

pelo canto do olho. Não conseguia parar de pensar que estava sendo monitorado, e havia quase se acostumado a isso. Quase. E a entrada grandiosa de seu castelo parecia uma boca aberta pronta para devorá-lo. Passava a maior parte do tempo fora do castelo, que parecia uma prisão e, por ser tão enorme, o confinava, sufocando-o.

Certa vez, quando ele ainda era – pelo menos ele pensava! – *humano*, passava a maior parte de seu tempo fora de casa, caçando feras selvagens nas florestas por prazer e esporte. Mas quando ele mesmo se tornou algo a ser caçado, recolheu-se naqueles primeiros anos, nunca saindo da Ala Oeste, muito menos do castelo.

Talvez fosse por isso que agora ele odiava ficar dentro do castelo: passara muito tempo trancado com seu próprio medo.

Assim que o castelo foi enfeitiçado, ele pensou que sua mente estivesse pregando peças nele – que a simples ideia do feitiço o tivesse deixado louco. Mas agora sabia que tudo à sua volta estava vivo, e ele estava morrendo de medo de que qualquer ação sua o levasse ao delírio, e que seus inimigos o fizessem sofrer ainda mais por toda a dor que ele causara antes de se tornar um monstro. A transformação física era apenas uma parte da maldição. Havia muito mais, e era aterrorizante demais pensar nisso.

No momento, ele queria pensar na única coisa que poderia acalmá-lo, nem que fosse um pouquinho. Queria pensar *nela*.

Bela.

Ele olhou para cima, à direita do jardim, a lua criara formas prateadas lindas na água agitada. Com exceção de quando pensava em Bela, essa era a única tranquilidade que ele tinha desde o feitiço. Passava muito tempo aqui, tomando cuidado para não ver seu próprio reflexo, apesar de, às vezes, ficar tentado a fazê-lo. Tinha total consciência da repulsa que isso traria.

Quase ficara obcecado por seu reflexo quando o feitiço começou a tomar conta, e até que gostava das pequenas mudanças em sua aparência no começo, as linhas profundas que recebera tornavam seu rosto jovem mais temeroso para seus inimigos. Mas agora... agora que o feitiço tomara conta dele por completo, não suportava se ver. Quebrara ou trancara na Ala Oeste todos os espelhos do castelo. Suas atitudes terríveis estavam gravadas em seu rosto, e aquilo provocava um sentimento miserável e vazio em suas entranhas, deixando-o enojado.

Mas chega de pensar nisso.

Ele tinha uma mulher linda dentro de sua propriedade. Era uma prisioneira voluntária, alguém para conversar e, mesmo assim, não conseguia encará-la.

Medo.

Controlava-o de novo. Seu medo agora o manteria do lado de fora, que antes o deixara trancado para dentro? Medo de entrar pela porta e encarar a garota? Ela era uma mulher sábia. Ela não fazia ideia de que o destino dele estava em *suas* mãos?

As estátuas observavam, como sempre faziam, quando ele ouviu um barulho de botas minúsculas no caminho de pedra indo em sua direção, perturbando seus pensamentos.

As três irmãs! Lucinda, Ruby e Martha, um trio de bruxas pequeninas com cachos pretos, uma palidez leitosa com a textura de madeira branca crua e lábios vermelhos de boneca estava parado diante dele em seu jardim. Suas faces brilhavam à luz da lua como aqueles fantasmas com expressões irônicas. Suas joias brilhavam como estrelas no jardim escuro enquanto a pena em seus cabelos tornava seus gestos frenéticos mais grosseiros. Havia um pouco de nervosismo nelas; eram tomadas por uma série de constantes contrações e gestos, como se estivessem em comunicação contínua uma com a outra mesmo quando não estavam falando. Pareciam estar analisando-o. E ele as deixou fazer isso. Ficou parado em silêncio, como geralmente fazia quando elas o abordavam, esperando que falassem.

Elas apareciam quando queriam e sempre sem avisar. Sem se importar que o castelo e os jardins fossem dele. Ele desistira há muito tempo de insistir que elas aparecessem quando ele quisesse. Logo descobriu que seus desejos não tinham importância para elas.

A risada delas era aguda e parecia zombar do minúsculo vislumbre de esperança que detectaram em seu coração sombrio e solitário. Lucinda foi a primeira a falar, como sempre. A expressão dela quando falava com ele o deixava paralisado, pois parecia uma boneca estranha com vida, com sua pele de porcelana e roupas imundas, e sua voz monótona firme só deixava a cena mais macabra.

– Então finalmente você capturou uma coisinha.

Ele não perdeu tempo perguntando como sabiam que Bela estava no castelo. Tinha suas teorias de como elas sempre pareciam saber tudo sobre ele, mas não se importava em compartilhá-las com as irmãs.

– Estamos surpresas, Fera – disse Martha, com seus olhos azuis pálidos, aguados e redondos.

– Sim, surpresas – Ruby cuspiu, com um sorriso estranhamente largo que animava seus lábios demasiadamente vermelhos de maneira mórbida, como uma criatura morta trazida de volta à vida por encantamentos diabólicos.

– Esperávamos que sua condição estivesse desenvolvida agora – disse Lucinda, inclinando levemente a cabeça para a direita enquanto olhava para ele. – Sonhamos com você correndo pela floresta caçando uma presa menor.

Ruby continuou:

– Sonhamos com caçadores perseguindo você.

Martha riu e disse:

– Perseguindo você como o monstro que é e pendurando sua cabeça na parede da Taverna dos Caçadores.

– Por que ainda usa roupas? Agarrando-se ao último fio de humanidade, é isso? – elas disseram em uníssono.

As bruxas no jardim das rosas

A Fera não fez nada para amenizar seu terror — não o terror da magia das bruxas, mas de sua própria natureza ameaçadora, da qual elas o estavam lembrando. Seguravam um espelho apontado para o monstro dentro dele, que desejava escapar. Era um monstro que queria matar as bruxas e tudo que passasse pelo seu caminho. Ele estava louco para ver sangue e ossos, para provar sua carne. Se arranhasse as gargantas das bruxas com suas garras, nunca mais teria que ouvir as vozes estridentes e ameaçadoras de novo.

Lucinda riu.

— Agora *isso* é o que esperamos de você, Fera.

E Martha disse:

— Ele nunca vai conquistar o coração de Bela, Irmã, mesmo que esteja desesperado para quebrar o feitiço.

— Ouso dizer que está muito perdido agora.

— Se ele mostrasse como era, talvez ela tivesse pena dele — Ruby disse, enquanto uma risada cacofônica louca preenchia o jardim.

— Pena dele, sim, mas amá-lo? Nunca!

A Fera costumava retrucar os insultos, mas isso parecia apenas incentivar a paixão delas por crueldade, e ele não queria incitar a própria raiva e desejo de violência, então só ficou ali parado, esperando que aquela pequena sessão de tortura acabasse.

Martha falou de novo.

A FERA EM MIM

— Caso tenha se esquecido, aqui há regras, Fera, ditadas por todas as Irmãs: você deve amá-la, e esse amor precisa ser devolvido com um beijo de amor verdadeiro antes de seu aniversário de 21 anos. Ela pode usar o espelho como você faz, para ver dentro de seu mundo além do reino, mas nunca pode saber os detalhes do feitiço ou como tem que ser quebrado. Ela verá o castelo e seus encantamentos de forma diferente de você. Os aspectos mais aterrorizantes da maldição estão reservados para você.

A Fera encarava sem expressão as bruxas.

Martha sorriu de um jeito macabro e continuou:

— Essa é sua única vantagem. A única coisa neste castelo ou nesta propriedade que assustará Bela será sua aparência.

Lucinda concordou.

— Quando foi a última vez que viu seu reflexo, Fera? Ou olhou para a rosa?

Houve uma época em que a rosa não saía de perto dele. Ultimamente, ele tentava esquecê-la. Praticamente esperava que a visita das irmãs desta tarde fosse para informá-lo de que a última pétala havia caído da haste encantada. Mas elas foram lá apenas para zombar dele, como sempre, para incentivá-lo a usar violência, e não havia nada que elas amassem mais do que ver sua alma mais manchada.

A voz de gralha de Lucinda o tirou de seu devaneio.

– Não falta muito agora...

Martha continuou:

– Falta pouquíssimo, Fera.

– Logo a última pétala vai cair e você vai permanecer desse jeito, sem chance de voltar à sua forma original.

– E nesse dia...

– Nós vamos dançar! – elas finalizaram em uníssono.

A Fera finalmente falou.

– E quanto aos outros? Também vão permanecer desse jeito, condenados ao feitiço como eu?

Os olhos de Ruby se estreitaram pela surpresa.

– Preocupação? É isso que estamos vendo? Não é estranho?

– Preocupado consigo mesmo.

– Isso, preocupado consigo mesmo, sempre individualista, nunca com os outros.

– Por que ficaria preocupado com os empregados? Nunca prestou atenção neles, a menos que fosse para puni-los.

– Acho que está com medo do que podem fazer com ele se não quebrar o feitiço.

– Acho que tem razão, Irmã.

– Também estou interessada em ver o que eles vão fazer.

A FERA EM MIM

– Vai ser um espetáculo pavoroso, mesmo.

– E vamos ter muito prazer em testemunhá-lo.

– Não esqueça, Fera, verdadeiro amor, dado e recebido, antes de a última pétala cair.

E, com isso, as irmãs se viraram nos saltos de suas minúsculas botas pontudas e saíram do jardim, o som se esvaíndo aos poucos até elas sumirem em uma névoa repentina e a Fera não conseguir mais ouvi-las.

Capítulo II

A RECUSA

A Fera suspirou e se jogou no banco de pedra à sombra da estátua de criatura alada suspensa sobre ele. A sombra da estátua se misturava à dele – seu rosto e as asas da criatura –, transformando-o no que parecia um Shedu, o leão alado de mitos antigos. Havia tanto tempo que ele não via nem sua sombra que mal sabia como se parecia, e essa sombra o deixou bastante intrigado.

Com um raio de luz, a sombra desapareceu. O que restou foi uma nova estátua branca brilhante, com uma expressão passiva. Não era masculina nem feminina – não até onde ele podia supor – e estava completamente parada com um candelabro de bronze pequeno em uma mão, as velas queimando, enquanto a outra apontava em direção à entrada do castelo. Era como se a figura de pedra estivesse mandando-o de volta ao castelo, de volta à boca aberta.

Ele tinha medo de que, se retornasse, o castelo finalmente iria devorá-lo.

Mas voltou, deixando a estátua silenciosa e as palavras ameaçadoras das irmãs no jardim. A luz do candelabro estava minúscula agora, como se fosse um vaga-lume.

A estátua voltaria ao castelo quando quisesse, provavelmente quando a Fera estivesse longe o suficiente. Elas nunca se mexiam ou iam em direção a ele quando estava olhando diretamente para elas; sempre andavam de fininho quando a atenção dele se focava em outro lugar. Isso o assustava de verdade, saber que elas poderiam se aproximar dele a qualquer hora e fazer segundo sua vontade com ele, mas essa era outra parte da maldição com a qual ele tinha que conviver.

Pensou no que as irmãs disseram e se perguntou como Bela via os encantamentos do castelo e como seus empregados amaldiçoados apareciam para ela.

Conforme andava pelo salão em direção à sala de jantar, parou para ouvir vozes abafadas vindo das acomodações de Bela, mas não conseguia entender o que estava sendo conversado. Ele estava andando em silêncio pelo corredor, torcendo para conseguir ver com quem ela estava falando, quando ouviu um cavalheiro com sotaque francês convidando-a para o jantar. Ela bateu a porta e se recusou.

— Não vou! Não quero nada com ele! Ele é um monstro!

A RECUSA

Monstro! A raiva se apossou dele.

– Se ela não vai jantar comigo, não vai comer mais nada
– rosnou, virando-se para o outro corredor e já esperando
ver outra estátua viva parada ali para atormentá-lo, mas
a única pista de que alguém estivera lá era o pequeno
candelabro dourado que acabara de ver no jardim, agora
apagado, com um laço minúsculo de fumaça circulando o
pavio quente.

– Ela acha que sou um monstro! – ele exalou.

Ele sentiu sua raiva se acumular, saindo de controle
conforme esbravejava e ia para a Ala Oeste. *Monstro!* Suas
garras cravaram-se no corrimão de madeira enquanto ele
subia a escadaria comprida, desejando que fosse carne e
sangue, não lascas de madeira.

Monstro!

Havia pouquíssima luz nessa parte do castelo. Era
completamente escura, com exceção da luz da lua que
entrava pelos vãos das cortinas vermelhas esfarrapadas de
seu quarto. Apoiados na parede do fundo estavam pedaços
de espelhos de diferentes formas, cobertos por tecidos
comidos pelas traças. Entre os espelhos havia retratos, e
alguns tinham sido destruídos pela sua raiva e frustração,
as visões zombando dele como as bruxas fizeram,
ameaçando-o com sua aparência antiga.

Monstro!

Ele não podia acender a lareira enorme ou as tochas na parede. Suas patas não conseguiam administrar coisas minúsculas, como fósforos, e os empregados não eram permitidos na Ala Oeste. Nem as irmãs vinham a esta parte do castelo. No começo, ele fugira da zombaria delas por muito tempo ao passar a maior parte dos dias aqui, escondendo-se, deixando sua raiva crescer em proporções épicas, amedrontado pelo que viria e, mesmo assim, sempre intrigado.

Foi assim no começo, não foi? Intrigante. As mudanças súbitas em seus traços, as linhas em volta de seus olhos que assustavam seus inimigos quando ele os estreitava. Usar o olhar, e não palavras, para causar medo em seus inimigos era realmente útil.

Ele *havia* se olhado no espelho naqueles dias, tentando distinguir que tipo de atitude causava as alterações mais terríveis em sua aparência. Sabia que era um feitiço degenerativo que não seria amenizado.

As irmãs pareciam saber de sua compulsão e zombavam dele por isso, dizendo que teria o destino da segunda esposa de seu primo se não tivesse cuidado. As irmãs sempre falavam coisas sem sentido, sempre falavam coisas pela metade, e tinham ataques de riso tão frequentes que na maior parte do tempo ele mal sabia do que elas estavam rindo. Não sabia nem se elas eram sãs. Será que aquilo tudo era fruto daquelas mentes enlouquecidas?

A RECUSA

Aqui estava ele, ameaçado por velhas loucas. *Ele*, que já fora um príncipe.

Fora. E agora... agora ele não podia nem se aventurar por seus jardins ou abordar um estranho que caminhava da floresta para seu castelo à noite sem fazê-lo correr de medo.

O que será que Bela achava do pouco que vira dele iluminado pela tocha da masmorra? Mas ele sabia, não é? Ela o chamara de monstro! Deixe-a com os empregados, então; deixe-os contar histórias de seus feitos covardes! Deixe-os confirmar o quanto ele era perverso e feio. Ele não se importava! Afinal, era um monstro. E monstros não conheciam sentimentos, principalmente o sentimento chamado *amor*.

Sua raiva e sua confusão foram suprimidas quando ficou zonzo de exaustão. Ele se sentou na cama, perguntando-se o que fazer. As irmãs deram a entender que a garota era sua única esperança de escapar do feitiço. Mentirosas! Ele poderia fazê-la se apaixonar facilmente se tivesse a aparência anterior – bonito, elegante, mas alguns diriam arrogante.

Era fácil lidar com as mulheres naquele tempo. Bastavam poucas palavras floreadas de amor, fingindo algum interesse no que elas tinham a dizer, talvez simular uma vulnerabilidade, e a garota era dele. Muitas vezes ele nem tinha que apelar para tal recurso desnecessário; só se a garota fosse extremamente bonita ele se importaria em tentar ganhar sua admiração. Geralmente, apenas sua aparência era suficiente para encantá-las.

Mas o jeito que ele era agora... Não fazia ideia de como se aproximar de Bela. Ele se levantou, sentindo os lençóis rasgados e grossos com suas patas. Talvez ele *devesse* deixar os empregados entrarem para arrumar a cama, limpar as janelas e encerar o chão. Para fazê-lo viver mais como um ser humano do que como o monstro que se tornara.

Ficou de pé com as pernas trêmulas, ainda tonto pela adrenalina da raiva selvagem que sentira quando ouviu Bela chamá-lo de monstro. Foi para perto da varanda, onde guardava o espelho encantado que as irmãs lhe deram muito tempo atrás. Ficou ali por um momento, respirando profundamente antes de se olhar. Havia muito tempo que ele não via seu reflexo. Tinha que ver como seus atos detestáveis haviam sido marcados em seu rosto.

Sua pata descansou sobre o tecido que cobria o espelho. Então, com um movimento rápido, tirou o lençol e o jogou para o lado, revelando o vidro e o reflexo embaçado que o encarava.

Monstro!

O único resquício do que ele fora no passado eram seus olhos azuis cheios de alma, que fervilhavam com humanidade. Eles não mudaram. Ainda eram dele.

A RECUSA

Mas, em todos os outros aspectos, ele se tornara exatamente o que temia. E, na verdade, era pior do que poderia ter imaginado.

Seus joelhos se curvaram quando seu mundo começou a ficar embaçado. Sua visão começou a ficar estreita até ele se encontrar na escuridão, envolvido em uma imagem do passado – de como era antes de se tornar um monstro. Antes de se tornar a Fera.

Capítulo III

O PRÍNCIPE

Antes da maldição, a vida era boa para o príncipe.
Ouvir as irmãs contarem a história do feitiço era como ouvir uma história cheia de exemplos da pessoa terrível que ele era, uma lista de seus delitos, descritos um por um, um pior e mais maldoso que o outro, até as irmãs lançarem o feitiço nele, deformando-o em uma fera patética que agora estava deitada no chão de seu quarto diante do espelho.

No fim, é assim que a história vai ser. Mas as irmãs não conseguirão transmitir essa parte do conto. Não até o príncipe falar, não até ele ter a chance de lhe contar quanto se divertiu.

Porque houve uma época em que as coisas eram boas.

Uma época na qual o príncipe era apenas um jovem arrogante, cheio de orgulho e pouco consciente de

A FERA EM MIM

seu lugar no mundo. Que jovem príncipe não passara exatamente por essa situação? Como você acha que são os outros príncipes? São apenas homens encantadores aventurando-se para lá e para cá à procura de noivas dorminhocas para acordar com o beijo do amor verdadeiro? Você os admira como cavalheiros almofadinhas enquanto eles lutam contra dragões e derrotam madrastas assassinas? Talvez façam esse tipo de coisa sem um pingo de orgulho ou agressão? Em um instante estão abrindo caminho em meio a espinhos encantados assassinos só para achar o dragão cuspidor de fogo pronto para matar alguém, e no outro instante é esperado que eles dancem valsa com suas novas noivas em ternos de tons pastel e cintos dourados.

E o que têm a ver esses cintos, então? Horríveis!

Nosso príncipe não queria nada que fosse tolo e romântico. Queria uma vida diferente, e aprendeu cedo que não tinha que matar bestas cuspidoras de fogo para que uma donzela o beijasse. Embora o fato de se vangloriar com um alce gigante ou um temível urso cinza jogado no ombro para o velho Higgins empalhá-lo e pendurá-lo na parede o fizesse ganhar uma quantidade boa de beijos das jovens – e por mais que fosse perigoso às vezes, era bem diferente de maçãs envenenadas, anões fedorentos ou ser queimado por uma fada rainha do mal. Ele escolheria caçar e galantear a qualquer hora.

A vida era boa; todo mundo amava e venerava o príncipe, e ele sabia disso.

O PRÍNCIPE

Não havia homem mais bonito do que ele quando se sentava em sua taverna favorita com suas roupas cobertas de terra, sujeira e sangue de sua última matança. Ou pelo menos era o que ele achava. A taverna era seu lugar preferido. Tinha quase tudo que ele gostava em um só lugar. As paredes de madeira eram tão cheias de animais da floresta que ele matava que o velho Higgins ria e caçoava dele enquanto lhe servia outra cerveja.

— Vou ter que construir uma taverna maior, Príncipe!

E era verdade.

A única pessoa que matara quase a mesma quantidade de animais que o príncipe era seu bom amigo Gaston, que jogou uma mão cheia de moedas no balcão, assustando o pobre Higgins antes de ele terminar de servir outra rodada de bebida.

— As bebidas são por minha conta hoje, Higgins! Para comemorar o noivado do Príncipe!

Os homens vibraram e as garçonetes se desmancharam em lágrimas, arfando com suspiros profundos de decepção. Gaston parecia gostar do espetáculo tanto quanto o príncipe.

— Ela é a garota mais bonita da vila! Você é um homem de sorte! Eu ficaria com inveja se não fosse meu melhor amigo!

Isso ele era. O melhor amigo de Gaston. A Fera havia observado Gaston muitas vezes com o espelho encantado das irmãs bruxas, só para ver como ele estava desde que o príncipe "se mudara para outro reino", e Gaston parecia ter pegado o lugar do príncipe.

Eles sempre foram parecidos, Gaston e o príncipe, e o príncipe achava que era por isso que gostavam tanto da companhia um do outro. Ou talvez ele sentisse que era melhor manter seu concorrente por perto. Mas, de novo, ele se perguntou se era assim que realmente enxergava na época.

Até onde a Fera podia conjecturar pelo espelho encantado, sua janela para o mundo exterior, Gaston era considerado o homem mais bonito do país. As damas pareciam desmaiar toda vez que ele passava por elas.

A Fera não conseguia evitar dar risada algumas vezes enquanto ouvia Gaston falar de si mesmo, gabar-se pela covinha no queixo, exibindo seu peito cabeludo e cantando elogios de si mesmo para cima e para baixo pelas ruas principais da cidade.

No entanto, havia outro lado do velho amigo do príncipe, uma crueldade rancorosa, que a Fera achava difícil de assistir porque o lembrava muito de si mesmo – antes daquela terrível transformação!

Sim, eles eram muito parecidos, Gaston e o príncipe, e foi isso o que os unira.

Na época em que olhava o espelho encantado, a Fera viu que Gaston era perigosamente obcecado pela filha de um inventor esquisito, conhecida por ser a garota mais bonita da cidade. Ele nunca vira a garota, mas ouvira as pessoas dizerem que ela era estranha. Ele queria poder dar uma boa olhada nela, mas seu rosto sempre estava escondido por trás de um livro ou ela estava se virando para o outro lado quando Gaston tentava falar com ela. Era quase vergonhoso o jeito com que ele a perseguia, apesar das reclamações da garota. A Fera nunca havia visto Gaston tão obcecado por uma garota antes. Ficou realmente surpreso por ele querer se casar com a filha de um inventor. *Essa* filha de inventor, em particular. Ela podia ter fama de ser bonita, mas era igualmente teimosa. Havia boatos sobre seu pai estar beirando a loucura, e ela não tinha uma gota de realeza em seu sangue.

Mas, até aí, nem Gaston tinha...

Gaston não sofria os aborrecimentos de um príncipe. Não precisava se preocupar em se casar com alguém da realeza. Gaston foi o primeiro a contar ao príncipe que sua noiva, Circe, era de uma família fazendeira pobre, na tentativa de impedir que o príncipe se envergonhasse de se casar com alguém de classe tão baixa. *É claro* que ele não podia se casar com ela, independentemente do quanto fosse bonita. Como seus súditos poderiam levar a filha de um criador de porcos a sério como rainha? Os empregados não a respeitariam, e ela não saberia como se comportar em situações diplomáticas. Não, seria um desastre. Seria injusto com seus súditos e com ela, e principalmente com ele. Ele não precisava

A FERA EM MIM

que ninguém lhe dissesse que era uma má ideia; concluiu aquilo sozinho no instante em que descobriu seu *status*.

Então a decisão foi tomada.

Não poderia se casar com a garota.

O príncipe mandou buscar sua noiva no dia seguinte. Circe estava linda quando saiu da carruagem para vê-lo. Seu cabelo loiro claro e seu vestido prateado brilhavam sob o sol da manhã enquanto ela estava parada no jardim. Era difícil acreditar que era a filha de um criador de porcos. Talvez Gaston estivesse enganado. Quando uma garota de uma fazenda de porcos se vestiria daquele jeito? Ah. Gaston estava pregando peças de novo. Tentando tirá-lo da jogada para que pudesse ficar com Circe só para ele. Aquele brutamontes cruel de queixo de bunda. Ele conversaria com Gaston sobre isso assim que desse. Mas, no momento, tinha que fazer as pazes com sua linda Circe. Lógico que ela não fazia ideia que ele pretendia terminar tudo, mas ele sentiu que seu coração a traíra.

– Minha querida Circe, você está linda.

Ela olhou para ele com seus olhos azuis pálidos, com um leve rubor que não amenizava as leves sardas em seu narizinho.

Adorável.

Ela era simplesmente isso, adorável. Como ele poderia ter pensado que ela era filha de um criador de porcos?

O PRÍNCIPE

Não conseguia imaginá-la enlameada por aquelas criaturas horríveis e sujas.

Já pensou? Circe alimentando porcos! Era engraçado pensar nisso quando a via brilhando como uma rosa molhada de orvalho, como a princesa que estava prestes a se tornar. Ele faria Gaston pagar por fazê-lo duvidar dela.

– Venha, meu amor, para a sala matinal.

Preparei algo especial para você.

Ele não mencionou a mentira de Gaston para Circe; era muito maldoso de se repetir. Não havia necessidade de causar intrigas entre os dois. Afinal, Gaston seria seu padrinho. Sim, ele era bruto, mal-humorado e conspirador, mas ainda era seu amigo mais próximo. E queria que seu melhor amigo estivesse ao seu lado no casamento.

E havia mais uma coisa. O príncipe iria gostar de saber que Gaston estaria queimando de inveja ao ficar ali parado, forçado a assistir aos procedimentos do casamento, sabendo que suas tentativas de acabar com a fé do príncipe em Circe haviam falhado, e ele não poderia tê-la para si. Sim, isso lhe daria muita satisfação. Talvez após o casamento ele devesse enviar Gaston para longe em alguma missão para o reino – algo desagradável e abaixo de seu cargo, para mostrar-lhe que não era para interferir novamente.

Quem poderia realmente culpar Gaston por tentar manter Circe longe dele? Ela era a garota mais bonita que já vira, e Gaston só estava se deixando levar por sua beleza e permitindo que contaminasse seu julgamento. Era até engraçado pensar nisso – Gaston, o príncipe do País-do--Queixo-de-Bunda, tentando tirar Circe dele! Quem ficaria com um plebeu, não importa o quanto fosse amigo da família real, quando poderia ficar com o príncipe que, um dia, seria o rei daquelas terras?

O príncipe resolveu rir de tudo isso e focar no que mais amava: caçar, beber, gastar os impostos que cobrava de seus estados e encantar as damas.

Ah, sim, e havia Circe, mas ele a amava do jeito que amava seu castelo, ou seu estábulo cheio de cavalos elegantes. Ela era a criatura mais linda, e ele apreciava como sua beleza refletiria nele e em seu reino. Sensível, ele pensou sem culpa.

O planejamento do casamento continuou, mesmo com Gaston falando mal da família de Circe. Não houve um dia ou uma noite em que não mencionasse isso.

– Você está começando a me entediar, Gaston, sinceramente! Continuar falando dessa coisa de criação de porcos como se realmente fosse verdade. Por que ainda não desistiu?

Gaston não ia encerrar o assunto.

– Venha comigo, meu amigo, eu vou te mostrar!

Então eles cavalgaram por muitos quilômetros até chegarem a uma pequena fazenda, que era afastada além da floresta por um caminho incomum.

O PRÍNCIPE

Ali estava sua Circe. No curral, alimentando os porcos, com a saia de seu vestido branco simples cheia de lama. Seu cabelo estava bagunçado, e suas bochechas, ruborizadas pelo trabalho duro. Deve ter sentido os olhares sobre ela, porque olhou para eles e percebeu a expressão de desgosto no rosto de seu amado, que a deixou paralisada de medo e vergonha.

Deixou cair o balde e ficou parada no lugar, olhando para os dois homens.

Ela não disse nada.

— Venha aqui, garota! É assim que recebe seus convidados? – o príncipe gritou, arrogante.

Os olhos dela se arregalaram como se estivesse saindo de um transe.

— É claro – ela disse, acatando.

Então saiu do curral e se aproximou dos homens, olhando para eles, ainda montados sobre os cavalos. Ela se sentiu pequena, submissa e incapaz de encarar seus olhares desaprovadores.

— Olá, meu amor, o que o traz aqui? – ela perguntou.

O príncipe foi irônico.

— O que realmente me traz aqui? Por que não me disse que seu pai era um mero criador de porcos?

Circe parecia desesperada e confusa, quase incapaz de responder.

— O que quer dizer, meu querido?

A FERA EM MIM

O príncipe estava com raiva.

– Não banque a inocente comigo, madame! Como ousa esconder tal coisa de mim? Como pôde mentir para mim desse jeito?

Circe desabou em lágrimas.

– Você nunca me perguntou sobre meus pais! Nunca menti para você! Por que isso importa? Nós nos amamos! E o amor está acima de tudo!

– Amar *você*? Sério? Olhe para você... coberta de esterco! Como eu *poderia* amá-la?

Ele cuspiu no chão e voltou a atenção ao seu amigo.

– Vamos, Gaston, vamos embora deste lugar fedorento. Não tenho mais nada para dizer a essa garota imunda da fazenda.

E os dois cavalgaram para longe, deixando a linda donzela coberta de lama e de uma nuvem de poeira formada por seus cavalos selvagens.

Capítulo IV

A irmã mais nova das bruxas

O príncipe estava sentado sozinho em sua biblioteca, apreciando uma bebida ao lado da lareira. Imagens de Circe o assombravam. Elas variavam entre a jovem linda e atraente com a qual ele queria se casar e a cena nojenta que presenciara mais cedo.

Ele quase sentiu pena dela.

Quase.

Mas não podia amaciar para o lado dela, depois de ela ter tentado prendê-lo em um casamento formado por mentiras repugnantes. Enquanto ele estava sentado ali, sombras sinistras dançavam nas paredes. Eram criadas pela lareira e pelos chifres de alce pendurados na parede acima da sua cadeira. Ele se lembrou do dia em que matou seu maior troféu – o alce gigante. Quase ficou triste no dia em que, finalmente, o pegou. Esteve perseguindo aquele animal por anos. Mas, quando o matou, sentiu que havia perdido um velho amigo. Bebeu mais um pouco, lembrando-se daquele dia consagrado. Nesse momento, o porteiro apareceu na porta.

— Príncipe, senhor, a senhorita Circe está aqui para vê-lo.

O príncipe suspirou com irritação.

— Eu já te disse, pela milésima vez agora, para não deixá-la entrar! Mande-a embora! — E voltou para suas reflexões.

O porteiro não foi embora. Gaguejou uma resposta.

— Eu não a dei-dei-deixei entrar, me-meu senhor, ela está lá... fora, mas se recusa a ir em-em-embora. Disse que não vai embora até o senhor falar com ela.

— Muito bem, então.

Colocando sua bebida na mesinha de madeira ao lado de sua cadeira, ele se levantou com um suspiro profundo e foi até a entrada do castelo.

Ali estava Circe, uma criaturinha patética segurando uma única rosa vermelha, parecendo minúscula na entrada gigante e arqueada. Seus olhos estavam tristes, inchados e vermelhos de chorar. Ela não tinha nada daquela beleza exuberante de quando estivera em seu jardim vestida de dourado, prata e brilhante. Se vê-la no curral cheia de lama aquele dia não tivesse apagado aquela lembrança de sua memória, esse encontro com certeza o faria.

Nunca mais seria tentado pelas memórias de sua beleza, enganando-o para lhe fazer sentir pena daquela criaturinha mentirosa! Ela estava com um xale esfarrapado sobre os ombros que a fazia parecer uma velha pedinte. A luz e a sombra em seu rosto a tornavam velha e abatida. Se ele não soubesse quem era ela, realmente pensaria que era uma velha mendicante.

Ela falou com voz baixa. Parecia um corvo pequeno – sua voz estava áspera e rouca de tanto chorar.

– Meu amor, por favor, não consigo acreditar que me tratou tão mal. Com certeza você não quis dizer as coisas que me disse mais cedo.

Ela desatou a soluçar, e seu rosto inchado e manchado de lágrimas se enterrou em suas mãos brancas pequenas.

Como ele pôde achá-la adorável algum dia?

– Não posso me casar com você, Circe. Você deveria saber disso desde o começo. Acho que é por isso que tentou manter seus pais em segredo.

– Mas eu não sabia, meu amor! Meu querido, por favor, aceite esta rosa e se lembre dos dias quando ainda me amava. Não vai me deixar entrar, sair deste frio? Me odeia tanto assim?

– Sua beleza, que tanto cativou meu coração neste mesmo jardim, vai estar manchada para sempre pela cena *grotesca* que presenciei hoje, e por *este* aparecimento vergonhoso.

Quando o xale de Circe caiu para trás, o príncipe ficou surpreso em ver que seus olhos não estavam mais inchados e seu rosto não mais estava manchado e vermelho pelas longas horas de choro. Sua pele estava pálida e brilhante como se estivesse refletindo a luz da lua – e seu cabelo estava cintilante e iluminado com pequenos enfeites prateados, como se pedacinhos das estrelas tivessem sido capturados por ele. Seu vestido era prata furta-cor, e tudo nela parecia brilhar com uma magia, mas nada brilhava mais do que seu olhos azuis pálidos. Ela nunca esteve tão linda.

– Eu nunca serei tão linda aos seus olhos porque sou a filha de um criador de porcos?

Então ele ouviu as vozes, emergindo da escuridão, como um bando de harpias ressurgindo do Inferno.

– Filha de fazendeiro?

– Nossa irmãzinha?

– Por quê? Ela tem sangue real. É prima de um rei antigo.

Ele não conseguia enxergar quem estava falando; só ouvia três vozes distintas vindo da escuridão. Algo naquelas vozes o deixava nervoso. Não, se fosse totalmente sincero consigo mesmo, admitiria que as vozes o assustavam. Ele só queria fechar a porta e se esconder dentro do castelo, mas ficou ali parado.

A IRMÃ MAIS NOVA DAS BRUXAS

— Isso é *verdade*, Circe? — ele perguntou.

— Sim, meu Príncipe, é, sim. Minhas irmãs e eu viemos de uma longa linhagem da realeza.

— Não entendo!

As irmãs de Circe avançaram até onde a luz batia e ficaram paradas atrás dela. Suas figuras grotescas destacavam ainda mais a beleza de Circe.

Era surpreendente mesmo.

Não que as irmãs fossem feias; era só que tudo nelas era muito extravagante e contrastava com seus outros traços. Cada traço por si só poderia ter sido bonito. Seus olhos grandes, por exemplo, poderiam ser exuberantes em outra mulher. O cabelo delas, de alguma forma, era preto demais, como se alguém pudesse se perder nas profundezas da escuridão, e o contraste dos lábios vermelhos como sangue com a pele branca como papel era muito chocante. Aquelas irmãs não pareciam de verdade. Nada daquilo parecia, porque era tudo um absurdo. Ele sentia como se estivesse sonhando, preso em um pesadelo. Ficou extasiado pela transformação de Circe, e até se esqueceu de seu juramento anterior de nunca mais pensar nela.

Estava apaixonado pela sua beleza mais uma vez.

— Circe! Isso é *maravilhoso*! Bem, você é descendente da realeza, então podemos nos casar!

— Precisávamos ter certeza de que você realmente a amava — disse Lucinda, estreitando os olhos.

— É, certeza — disse Martha.

— Não iríamos apenas...

— Deixar nossa irmãzinha se casar com...

— Um monstro! — elas gritaram, acusando-o em uníssono.

— Monstro? Como ousam? — o príncipe gritou. As irmãs deram risada.

— É isso que nós vemos...

— Um monstro.

— Ah, os outros podem te achar bonito...

— Mas você tem um coração cruel!

— E é *isso* que nós vemos, a feiura da sua alma.

— Logo, *todos* o verão como o monstro cruel que é!

— Irmãs, *por favor*! Deixem-me falar! Ele é meu, afinal de contas! — disse Circe, tentando acalmar suas irmãs. — É meu direito anunciar a punição.

— Não há necessidade — disse o príncipe, finalmente mostrando seu medo, fosse das irmãs ou de perder a bela visão diante dele. — Podemos nos casar agora. Nunca vi uma mulher mais linda que você. Não há nada em nosso caminho. Eu *preciso* tê-la como minha esposa!

— Sua *esposa*? Nunca! Agora eu vejo que você só amava minha beleza. Vou me certificar de que mais nenhuma mulher o queira, não importa quanto tente encantá-la!

Pelo menos enquanto você continuar sendo assim... contaminado por essa crueldade sem fundamento.

A risada das irmãs pôde ser ouvida claramente do outro lado do país naquela noite. Era tão aguda que assustou centenas de pássaros e aterrorizou todo o povo do reino, até Gaston. Mas Circe continuou com seu feitiço enquanto Gaston e os outros se perguntavam o que estava acontecendo de sinistro.

— Seus atos horrorosos vão desfigurar esse seu rosto bonito e, como minhas irmãs disseram, logo todo mundo enxergará o monstro que você é.

Ela entregou ao príncipe a mesma rosa que tentara lhe dar anteriormente.

— E já que não ia pegar esse símbolo de amor da mulher que prometeu cuidar, este será então um símbolo de sua condenação!

— *Sua* condenação! — Martha disse, rindo e batendo as mãozinhas e pulando com suas botas minúsculas com muita alegria.

— *Sua* condenação! — concordaram Ruby e Lucinda, também saltitando, tornando a cena mais confusa e macabra.

— Irmãs! — Circe implorou. — Não acabei!

Ela continuou:

— Conforme as pétalas forem caindo, os anos irão passar até seu aniversário de 21 anos. Se não tiver encontrado o amor, o *verdadeiro* amor, dado e retribuído, nesse dia, e o selado com um beijo, então deverá permanecer como a criatura horrorosa que vai se tornar.

O príncipe semicerrou os olhos e inclinou a cabeça, tentando entender o significado daquele enigma.

– Ah, ele vai virar um monstro! Vai, sim!

– Sem dúvida! Nunca vai mudar seu jeito maldoso!

As irmãs estavam batendo palmas de novo e pulando com um prazer vingativo. A risada delas parecia aumentar cada vez mais. Quanto mais riam, mais alto era o som, e mais loucas elas pareciam. Circe teve que controlá-las de novo.

– Irmãs, parem! Ele precisa saber os termos do feitiço, caso contrário, não funcionará.

A risada das irmãs cessou de uma vez, e elas ficaram irritantemente quietas, contorcendo-se com desconforto.

– Não podemos arruinar a punição!

– Não, não podemos fazer isso!

Circe, ao ouvir as irmãs conversarem de novo, lançou-lhes um olhar reprovador, silenciando-as imediatamente.

– Obrigada, Irmãs. Agora, príncipe, você entendeu os termos do feitiço?

O príncipe só conseguiu olhar para as mulheres surpreso e horrorizado.

– Ele está paralisado, irmãzinha! – vangloriou-se Lucinda.

— Shhh – lembrou Ruby, e Circe continuou.

— Você entendeu os termos? – ela perguntou de novo.

— Que eu vou me tornar um tipo de monstro se não mudar minhas atitudes? – o príncipe disse, tentando reprimir um sorriso.

Circe assentiu.

Agora era hora de o príncipe dar risada.

— Que besteira! Que tipo de truque é esse? É para eu acreditar que você me *amaldiçoou*? É para eu ficar com tanto medo que vou me enganar e pensar que alguma coisa terrível vai acontecer? Não vou cair nessa, madames! Se vocês de fato podem ser *chamadas* de madames, tendo sangue azul ou não!

A expressão de Circe se enrijeceu. O príncipe nunca a tinha visto desse jeito – muito brava, muito firme e fria.

— Seu castelo e suas terras também serão amaldiçoados, então, e todos dentro delas serão obrigados a compartilhar seu fardo. Nada além de pavor rodeará você, desde se olhar no espelho até se sentar em seu amado jardim.

Lucinda adicionou:

— E em breve esse pavor será seu único cenário.

— Sim, eu vejo você se enfurnar no castelo covardemente.

— Sim, com medo de sair do próprio quarto!

— Isso, isso! Muito aterrorizado para mostrar seu rosto feio para o mundo além dos muros do castelo!

A FERA EM MIM

Vejo seus empregados queimando de ódio, observando cada movimento seu das sombras distantes, entrando de fininho à noite, só para ver a criatura que você se tornará.

– E estou vendo *você* – Lucinda disse – se perguntando se eles vão te matar para se libertar do feitiço!

– Chega! Ele só tem um caminho a seguir! Há uma última coisa antes de irmos. – Circe olhou para Ruby. – O espelho, por favor, Ruby.

O rosto de Lucinda se contorceu da forma mais abominável que se podia imaginar.

– Circe, não! O espelho não.

– O espelho é nosso!

– Não é seu para dar para alguém!

– Não, não, não!

– Este é o *meu* feitiço, Irmãs, e meus termos. Eu estou dizendo que ele terá o espelho!

– Meu querido – Circe continuou –, este espelho encantado vai permitir que veja o mundo exterior. Tudo o que precisa fazer é perguntar ao espelho, e ele te mostrará o que quer ver.

– Não gosto que você dê nossos tesouros, Circe! Isso foi um presente do criador de espelhos mais famoso que existe. Não tem preço e é muito antigo. É um espelho lendário! Ganhamos antes mesmo de você nascer.

– E devo lembrá-las de como conseguiram se apossar dele? – perguntou Circe, silenciando suas irmãs.

A IRMÃ MAIS NOVA DAS BRUXAS

– Não vamos entediar o Príncipe com nosso histórico familiar, Circe – disse Martha. – Ele pode ficar com o espelho, não só para ver o mundo exterior, mas para ver a criatura horrorosa que irá se tornar.

– Ah, sim! Deixe-o tentar partir o coração das donzelas depois de se transformar em monstro! – gritou Ruby, enquanto Lucinda e Martha gritavam para ele:

– Pode tentar! Pode tentar! Partir o coração e fazê-las chorar! – Elas estavam girando como piões, seus vestidos desabrochando ao seu redor como flores mutantes em um jardim esquisito, conforme cantavam sua letra irônica ininterruptamente.

– Pode tentar! Pode tentar! Partir o coração e fazê-las chorar!

Circe estava ficando sem paciência, e o príncipe olhava como se não soubesse se se divertia ou se ficava com medo.

– Irmãs! Parem, por favor, eu imploro! – Circe gritou.

– É para eu levar isso a sério? Alguma coisa disso? Sério, Circe! Acha que sou idiota como suas irmãs tagarelas?

Antes de o príncipe falar mais alguma coisa, viu-se prensado firmemente contra a parede de pedra atrás dele, com a mão de Circe enforcando-o com força, e sua voz soando como uma serpente gigante.

– Nunca mais fale mal das minhas irmãs! E, sim, é melhor levar tudo o que eu disse a sério, e sugiro que se comprometa a se lembrar, porque sua vida depende disso. O feitiço está em suas mãos agora. Escolha o caminho certo, Príncipe, mude suas atitudes, e poderá se redimir. Escolha crueldade e orgulho, e vai sofrer de verdade!

Ela o soltou. Ele ficou atônito de repente. O rosto dela estava muito próximo dele e cheio de ódio. Ele ficou assustado, assustado de verdade, talvez pela primeira vez na vida.

— *Você entendeu?* — ela perguntou de novo com veemência.

E tudo o que ele conseguiu murmurar foi:

— Sim.

— Vamos, Irmãs, vamos deixá-lo aqui. Ele vai escolher o próprio caminho a partir de agora.

E foi o que ele fez.

Capítulo V

O retrato da Ala Oeste

Nos primeiros meses, não havia sinal do feitiço: sem irmãs ameaçadoras, sem transformação em monstro e sem empregados vilões conspirando contra sua morte. A ideia era engraçada, na verdade. Seus empregados leais detestando-o? Ridículo! Imaginar seu amado Cogsworth ou a Senhora Potts desejando sua morte – completamente inconcebível! Era pura conversa fiada!

Nada do que as irmãs falaram se tornou realidade, e ele não via motivo para acreditar que aconteceria. Como consequência, não pensava que precisava se arrepender, mudar suas atitudes ou levar a sério alguma coisa que aquelas malucas haviam dito.

A vida seguiu e estava boa – tão boa quanto sempre fora, com Gaston ao seu lado, dinheiro no bolso e as mulheres aos seus pés. O que mais ele podia querer?

A FERA EM MIM

Mas, por mais que estivesse feliz, não conseguia se esquecer completamente do medo de que, talvez, Circe e suas irmãs estivessem certas. Ele notou pequenas mudanças em sua aparência – coisinhas que o faziam pensar que sua mente o estivesse traindo e que ele, de alguma forma, estivesse cedendo ao plano das irmãs.

Tinha que se lembrar constantemente, de forma obsessiva, de que não havia maldição. Havia apenas seus medos e as mentiras das irmãs, e ele não iria deixar nenhum deles controlá-lo.

Ele estava em seu quarto, preparando-se para uma viagem de caça que faria com Gaston, quando o porteiro entrou para avisar que seu amigo havia chegado.

– Pode mandá-lo subir, então. A menos que ele queira tomar café da manhã no observatório enquanto eu termino de me arrumar.

O príncipe estava de bom humor e se sentia melhor do que há muito tempo. Porém, por nada no mundo conseguia se lembrar do nome do porteiro. Um pouco preocupante, mas uma das vantagens de ser um príncipe era que ninguém te perguntava nada. Então, se os outros estavam notando uma mudança no príncipe, não iriam comentar.

– Minhas coisas estão arrumadas? Está tudo pronto para a expedição? – perguntou ao porteiro.

O RETRATO DA ALA OESTE

— Com certeza, meu senhor, está tudo carregado. Se não precisar de mais nada, devo ver as coisas do outro cavalheiro?

O príncipe teve que rir. Gaston, um cavalheiro? Até parece! O porteiro era muito novo para se lembrar de quando Gaston e o príncipe eram garotos. Alguns dos empregados antigos se lembrariam. A Senhora Potts se lembraria, com certeza. Com frequência, ela contava histórias repetidas sobre os meninos quando crianças, rindo da lembrança de eles correndo para a cozinha e implorando que ela lhes desse doces depois de aventuras grandiosas, ambos cobertos de lama, aventurando-se pelo castelo, como meninos adoravam fazer, obrigando uma empregada a correr atrás deles — uma empregada que murmurava maldições baixinho o tempo todo.

Maldições.

Esqueça isso. Lembre-se de outra coisa.

Senhora Potts.

Ela amava contar a história de como os garotos haviam se convencido de que as terras do castelo eram atormentadas por um dragão do mal. Mais de uma vez, eles se aventuraram o dia todo até a noite, matando todos de preocupação do que teria acontecido com eles — e os dois entraram dançando tão felizes e saltitantes quanto podiam, sem se importar com o mundo, estranhando a confusão que causaram.

Era assim que os meninos eram. O príncipe se perguntou quanto realmente mudaram, apesar de a Senhora Potts lembrá-lo a todo momento de que ele e Gaston mudaram bastante. Sempre dizia que não via muito dos garotos que amou no passado.

Mudaram.

Ele havia mudado, não é? E não do jeito que a Senhora Potts temia. De outro jeito. Ela ainda os amava, apesar de tudo. Não conseguia evitar. Provavelmente até pensava que Gaston fosse um cavalheiro. Sempre o tratou como tal. Via o melhor em todo mundo quando podia, e incentivava a amizade deles quando eram jovens, embora ele fosse filho do caçador.

— Não importa quem é o pai dele, pequeno mestre. Ele é seu amigo e já provou ser bom nisso. — Ele se lembrou de se sentir horrível por deixar que uma coisa como o *status* o fizesse reconsiderar a amizade com Gaston. Nada disso importava, não agora. Gaston tinha suas próprias terras e pessoas para trabalhar nelas — o príncipe já percebera isso —, e aquela vida quando eram bem jovens, quando Gaston morava no estábulo com o pai, parecia tão longe e tão antiga.

A voz grossa de Gaston interrompeu seus pensamentos.

— Príncipe! Por que está aí parado refletindo quando deveria estar se aprontando? Temos uma longa viagem pela frente.

O retrato da Ala Oeste

— Estava me lembrando de quando éramos jovens, Gaston. Relembrando nossas primeiras aventuras. Você se lembra da vez que salvou minha vida no...

A expressão de Gaston se enrijeceu.

— Você sabe que não gosto de falar disso, Príncipe! Precisa sempre me lembrar de que não sou igual a você?

— Não foi meu objetivo, querido amigo.

— Mesmo assim, é esse o *resultado*.

O príncipe se sentiu repreendido.

Gaston parecia estar perdido nos próprios pensamentos agora, refletindo sobre o retrato grande do príncipe pendurado sobre a lareira.

— Quando você posou para este retrato? Foi há quanto tempo? Cinco anos?

— Foi finalizado há apenas três meses. Você se lembra, foi feito por um pintor totalmente excêntrico. Ele se chamava de Mestre, lembra? Parecia viver em outro mundo, junto a seus discursos bonitos sobre preservar a juventude e fazer o tempo parar pela magia da representação.

— Lembro! É, ele era muito... hum, interessante.

— Interessante? Você queria jogá-lo da primeira janela que visse, se eu bem me lembro!

Os dois riram, mas Gaston parecia preocupado com seus pensamentos e não com pintores esquisitos e suas constatações sobre preservar o momento.

A FERA EM MIM

– Mas acho que tem alguma coisa sobre suas divagações loucas. Eu realmente pareço ter mudado desde a época deste retrato. Olhe em volta dos olhos da pintura. Não há sinal de linhas, mas, se vir aqui, parece mesmo que envelheci muito mais do que cinco anos.

– Está parecendo mulher, Príncipe, preocupando-se com linhas em volta dos olhos! Depois estará se preocupando com que cor de forro combina mais com um vestido azul. Devo perguntar à sua fada madrinha?

O príncipe riu, mas não foi um riso sincero.

Gaston continuou:

– Temos coisas melhores para fazer do que perder tempo tagarelando como duas menininhas. Me encontre no observatório para tomar café quando ficar pronto.

– Ok, fique à vontade para começar sem mim. Tenho certeza de que a Senhora Potts está agoniada porque estamos demorando muito.

O retrato ainda o incomodava. Como seus olhos ficaram com tantas linhas em apenas alguns meses? Era possível que eles fossem assim na época e o pintor tenha querido agradá-lo, fazendo-o parecer mais jovem? Não, o Mestre foi muito específico sobre preservar o momento no tempo. Torná-lo o mais puro e realista possível. Congelar um instante que nunca poderia ser amenizado ou alterado, preservando-o por gerações para que evocasse algo de sua memória quando tivesse morrido há muito tempo. Foi o que o homem disse, quase pausadamente.

O RETRATO DA ALA OESTE

Parecia contraditório aos seus discursos irritantes e suas proclamações que tivesse representado o príncipe diferente do que ele aparentava na época. Então Gaston estava certo? Ele envelhecera cinco anos em apenas três meses? Ou Gaston só estava sendo maldoso porque ele o lembrara de quando eram jovens?

Será...? Não. Mas e se... e se... a maldição de Circe fosse real?

Então se lembrou do espelho das irmãs. Ele o havia ignorado na noite que as harpias demoníacas lhe deram e não parou para olhá-lo novamente. As palavras delas começaram a zumbir em seu ouvido e ele não conseguia parar de pensar naquela coisa infernal. *Para ver a criatura horrorosa que irá se tornar.* Ele foi até a lareira. Sobre ela, havia uma gata rajada com olhos amarelos franzidos delineados de preto. Ela olhava para ele, analisando-o enquanto ele procurava o botão que abria o compartimento secreto na beirada da lareira. O buraco sem fogo era flanqueado por dois abutres com olhos vermelho-rubi que brilhavam na luz da manhã.

Ele apertou um dos olhos, o qual entrou na cabeça do abutre. Cada abutre tinha um brasão no peito; o brasão no abutre da direita saiu, revelando um compartimento com o espelho.

O príncipe ficou ali, só olhando para ele. O espelho estava de cabeça para baixo quando o príncipe o pegou. Então encarou a parte de trás dele. Parecia inofensivo, um

A FERA EM MIM

simples espelho de prata, agora quase preto de tão sujo. Ele o pegou pelo cabo. Era frio, e ele sentiu a maldade das irmãs penetrando nele pelo simples toque.

Sentiu.

Segurou-o contra o peito por um instante, sem querer se olhar, pensando se isso era loucura. Estava deixando as irmãs o atingirem. Havia prometido a si mesmo que não se renderia aos medos e às superstições. Mesmo assim, viu-se querendo olhar seu reflexo no espelho. E estava preocupado com o que encontraria.

– Chega dessa besteira! – Tomou coragem, levantou o espelho e olhou sem titubear, determinado a encarar seus medos. De primeira, não viu muita mudança. Seu coração ficou mais leve e ele realmente se sentiu tolo por deixar as ameaças das irmãs invadirem seus pensamentos.

– Olhe melhor, Príncipe.

Soltou o espelho e ficou com medo de que o tivesse quebrado, embora fosse uma benção se o tivesse feito. Tinha certeza de que era a voz de Lucinda que ouvira da escuridão, ou de onde quer que ela vivesse. Era do próprio Inferno, até onde ele sabia. Pegando o espelho com a mão trêmula, olhou com mais atenção. Desta vez, viu mesmo linhas profundas ao redor dos olhos. Gaston estava certo: parecia cinco anos mais velho após alguns poucos meses! As linhas faziam seu rosto parecer cruel. Sem sentimentos. Todas as coisas que Circe havia dito que ele era.

Impossível.

O retrato da Ala Oeste

Seu coração começou a bater como um trovão. Estava batendo tão forte que ele sentiu como se fosse explodir no peito.

Então veio a gargalhada, que o rodeou, cacofônica. A risada diabólica parecia vir do além; suas vozes, suas palavras vingativas o aprisionaram, fazendo a ansiedade tomar conta dele. Sua visão ficou embaçada e, logo, tudo o que ele viu eram os olhos amarelos da gata encarando-o. Então tudo se apagou e seu mundo ficou preto.

Vazio.

Estava sozinho na escuridão, apenas com as risadas das irmãs e seu próprio medo como companhia.

Acordou no que pareceram dias depois, sentindo como se tivesse apanhado de uma gangue de ladrões.

Seu corpo todo doía e ele mal conseguia se mexer. As irmãs certificaram-se de sua miséria e a agravaram com risadas e ameaças, deixando-o doente e sofrendo.

— Acordou, Alteza! — disse Cogsworth, da cadeira do canto, na qual estava sentado. — Estávamos preocupados com o senhor.

— O que aconteceu? — O príncipe ainda estava um pouco confuso e não conseguia se localizar.

— Bom, parece, senhor, que Vossa Majestade ficou muito doente, sofrendo de uma febre altíssima. Quando não desceu para tomar o café da manhã, subi e encontrei o senhor caído no chão.

A FERA EM MIM

– Onde está o espelho?

– O espelho, senhor? Ah, sim, eu o coloquei no criado-mudo.

O pânico do príncipe se amenizou.

– Então foi tudo um sonho? Tudo imaginação causada pela preocupação e pela doença?

– Não sei do que está falando, senhor. Mas estava bem doente. Estamos muito aliviados de ver que o senhor não está fora da casinha, como dizem.

Cogsworth estava com uma expressão corajosa, como sempre, mas o príncipe podia ver que ele ficara preocupado. Parecia cansado, acabado e, surpreendentemente, amarrotado. Geralmente ele era elegante. Era um ponto a mais em sua lealdade parecer que ficara ao lado do príncipe durante toda sua doença.

– Obrigado, Cogsworth. Você é um bom homem.

– Obrigado, senhor. Não foi nada.

Antes de Cogsworth ficar mais envergonhado, o porteiro colocou a cabeça timidamente na porta e avisou:

– Com licença, senhor, é que a Senhora Potts quer que Cogsworth desça até a cozinha.

– Só me faltava essa, não preciso que a Senhora Potts me diga onde preciso estar! – resmungou Cogsworth.

– Não, ela tem razão, parece que você precisa de uma boa xícara de chá. Estou bem. Vá para a cozinha antes que ela venha aqui e fique mais brava a cada degrau que tiver que subir para nos encontrar.

Cogsworth riu ao ouvir aquilo.

– Talvez esteja certo, senhor. – Ele saiu do quarto, levando o porteiro com ele.

O príncipe se sentiu incrivelmente tolo por pensar que tivesse realmente sido amaldiçoado. Quando olhou pela janela, as árvores estavam balançando violentamente, dançando uma música louca que só elas estavam ouvindo. Ele desejava estar lá fora, caçando alces e conversando com seu amigo sobre qualquer coisa que não fossem as irmãs, Circe e maldições – e, como por mágica, alguém bateu à porta. Era Gaston.

– Meu amigo! Soube que acordou! E Cogsworth não deixou ninguém entrar no quarto, com exceção do Doutor Hillsworth, que acabou de descer e nos informar que você finalmente está melhor.

– Sim, Gaston, estou me sentindo muito melhor, obrigado.

Ao olhar para Gaston, o príncipe viu que ele não se barbeava há alguns dias, e se perguntou por quanto tempo ficara doente.

– Você ficou aqui o tempo todo, meu amigo?

– Fiquei. Cogsworth me deixou ficar em um quarto na Ala Leste, mas passei a maior parte do tempo na cozinha com a Senhora Potts e os outros. – Gaston parecia quase o menino do qual o príncipe ficara amigo há tantos anos, seu rosto tenso de preocupação com a doença de seu amigo e passando tempo na cozinha como os filhos dos outros empregados.

– Fique quanto tempo quiser. Aqui já foi sua casa, amigo, e quero que sempre se sinta assim.

Gaston pareceu emocionado pelas palavras do príncipe, mas não comentou nada.

– Vou me arrumar para ficar apresentável antes de voltar para casa. Tenho certeza de que as coisas foram pelos ares sem minha presença lá por tantos dias.

– Com certeza LeFou deu conta de tudo. – O príncipe tentou não parecer decepcionado por seu amigo fazer planos para ir embora.

– Duvido. Ele é muito burro! Não fique aflito, meu amigo. Tenho certeza de que Cogsworth vai subir logo para te fazer companhia e ajudá-lo no planejamento da festa que vamos dar quando você melhorar.

– Festa? – o príncipe perguntou.

Gaston deu um de seus sorrisos mágicos, do tipo que sempre garantia que ele faria do seu jeito.

– Sim, uma festa, meu amigo, que será lembrada por décadas!

CAPÍTULO VI

A GRANDE IDEIA DE GASTON

O plano de Gaston entrou diretamente em ação em apenas algumas semanas depois da recuperação do príncipe. Todos os empregados estavam correndo atrás disso e pensavam que era exatamente do que ele precisava.

– Isso parece um sonho! – foi ouvido pelo castelo enquanto a Senhora Potts alterava os cardápios e sugeria que fossem servidos bolinhos no grande salão.

Cogsworth estava com uma animação extra em seu caminhar, mas era muito sério para deixar as pessoas perceberem que estava agradecido por ter uma casa agitada de novo para poder controlar como um general de guerra. E era assim que administrava tudo, mandando nos funcionários, um por um, para preparar o castelo para o grande evento.

A FERA EM MIM

O príncipe, no entanto, precisara de um pouco de persuasão para concordar com essa festa. Gaston argumentou que, depois do incidente com Circe e sua doença, o príncipe merecia um pouco de diversão.

– Quer forma melhor de encontrar a mulher mais encantadora do reino do que convidar cada donzela solteira e bonita para que possa escolher? E tudo disfarçado de um baile chique?

O príncipe não compartilhava do mesmo entusiasmo de Gaston.

– Detesto esses eventos, Gaston. Não vejo necessidade de encher minha casa com damas com babados se exibindo por todo o lado como passarinhos decorativos.

Gaston riu.

– Se convidarmos todas as donzelas do reino, ouso dizer que todas as garotas virão! – o príncipe protestou.

– Essa é a ideia, meu amigo! Nenhuma garota deixaria passar a oportunidade de brilhar aos olhos do Príncipe.

– Mas é disso que tenho medo! Com certeza haverá muito mais garotas medonhas do que bonitas! Como devo suportar isso?

Gaston colocou a mão no ombro do amigo e respondeu:

– Sem dúvida, você terá que caminhar entre alguns patinhos feios para encontrar sua princesa, mas não vale a pena? E seu amigo que deu uma festa assim? Não foi

A GRANDE IDEIA DE GASTON

bem-sucedido depois do acontecimento do sapatinho de cristal ser solucionado?

O príncipe riu.

– De fato, mas não vai me ver casando com uma empregada, como meu querido amigo, não importa quanto ela seja bonita! Não depois do desastre com a criadora de porcos.

A conversa continuou assim por muitos dias, até o príncipe resolver que daria a festa, afinal de contas, por que não? Por que ele não deveria exigir que toda donzela solteira do reino fosse à sua festa? Ele e Gaston fariam disso um jogo e, se acontecesse de ele encontrar a mulher dos seus sonhos, seria ótimo. Então estava decidido. Ele não precisava mais pensar no assunto até a noite do evento.

Por enquanto, fazia seu melhor para desviar dos empregados, correndo como gansos selvagens que são perseguidos por cães. Ele perdoava a agitação deles e até ria quando ouvia a Senhora Potts se movimentando pelo corredor para perguntar a ele uma coisa ou outra sobre o que ele gostaria que servisse. Nesse meio-tempo, as criadas estavam polindo a prataria na sala de jantar, os criados estavam preparando os estábulos para os cavalos dos convidados e as faxineiras estavam se pendurando precariamente em escadas altas, tirando a poeira dos lustres e substituindo as velas antigas por novas. A casa estava uma bagunça e tudo o que ele queria era sair de lá e caçar um pouco. Mas Gaston estava fora, cuidando de suas terras, lidando com uma coisa aqui e outra ali, e não podia ser incomodado com o esporte corriqueiro.

O príncipe balançou o sino para Cogsworth.

– Sim, senhor, me chamou? – perguntou Cogsworth, sabendo muito bem que ele o tinha feito.

O príncipe sempre odiou toda essa cerimônia, mas deixava Cogsworth fazer do seu jeito. Ele se lembrou do que seu pai – que Deus o tivesse – dissera a ele há muitos anos. Afirmara que todos na casa, na parte superior e inferior, tinham seus lugares e seus papéis para cumprir. Negar a um homem como Cogsworth cumprir sua função e removê-lo de seu lugar era como tirar sua personalidade e dignidade. Cogsworth o tratara bem por muitos anos; ele não podia estilhaçar sua autoestima ao tratá-lo como da família, mesmo que fosse assim que ele pensava. Era um sentimento subentendido entre os dois.

O príncipe acreditava que Cogsworth pensava o mesmo dele, mas era muito orgulhoso para dizer.

– Sim, Cogsworth. Gostaria que marcasse com o Mestre assim que for possível. Quero que faça outra pintura.

Cogsworth raramente deixava sua expressão traí-lo.

– Sim, senhor, vou mandar buscá-lo.

– O que foi, Cogsworth? Não aprova?

Pareceu que ele ficou pensando por um instante antes de responder:

A grande ideia de Gaston

— Não é minha função opinar, senhor, mas se fosse, diria que a casa fica muito "interessante" quando ele nos visita.

O príncipe teve que rir. Pensou que Cogsworth iria comentar que ele havia feito um retrato recentemente.

— De fato. Ele é uma figura, não é? Trata bem os funcionários, no entanto, certo? Não tem reclamação disso, tem?

— Ah, não, senhor, não é isso. Um cavalheiro como o Mestre não é nem um pouco ameaçador nesse quesito. Não, senhor, ele só é um indivíduo excêntrico, não concorda?

— É, é mesmo, e muito apaixonado por si mesmo e pelo impacto que sua arte causa no mundo, eu diria. Chega dessa conversa. Tenho certeza de que está muito ocupado com todos os detalhes do evento de amanhã. Posso confiar que tudo esteja dentro dos conformes?

Cogsworth pareceu positivamente orgulhoso, quase radiante.

— Ah, sim, tudo está correndo exatamente como deveria, senhor. Será uma noite perfeita.

— E Gaston, teve alguma notícia dele? Ele que insistiu que eu desse essa festa, e então vai embora para lugares desconhecidos, me deixando aqui sem nada para fazer.

Cogsworth sorriu.

— Sim, senhor, ele enviou uma mensagem esta manhã dizendo que estará de volta amanhã de manhã. Por enquanto, pedi ao caçador para se preparar para um dia de caça. Pensei que, com a casa nesse estado, o senhor estaria louco para sair daqui.

– Brilhante ideia, Cogsworth! Obrigado!

Na noite seguinte, o castelo estava iluminado por luzes douradas piscantes, que dançavam como em um labirinto, fazendo com que o jardim de animais parecesse ter vida. Todo mundo chegaria em uma hora, mas o príncipe estava encontrando um momento de silêncio em um de seus lugares favoritos ao redor do castelo.

A tranquilidade foi quebrada pela voz grossa de Gaston chamando-o da entrada em arco coberta por minúsculas rosas.

– Você está nesse maldito labirinto de novo, Príncipe?

O príncipe não respondeu ao seu amigo. Só ficou lá sentado pensando no que a noite traria de bom. Também ficou pensando em Circe e se perguntando se algum dia seria possível encontrar uma garota que o amasse tanto quanto ela. Algumas vezes pensou que Circe era um sonho, e suas irmãs, um tipo de pesadelo que ele invocara com a própria imaginação quando estava com febre. Já perdera tanto tempo que não parecia razoável desperdiçá-lo ainda mais ao pensar em Circe, suas irmãs harpias ou maldições.

– Seus convidados chegarão a qualquer momento – Gaston gritou – e, apesar de não admitir, acho que

A GRANDE IDEIA DE GASTON

Cogsworth vai ficar enfurecido se você não estiver lá para recebê-los quando entrarem no grande salão!

O príncipe suspirou.

— Já estou indo.

Gaston fez a curva do labirinto e viu seu amigo sentado perto de um leão alado.

— Qual é o problema? Pensei que isso levantaria seu astral! Todas as garotas de três reinos confirmaram presença! Será maravilhoso!

O príncipe se levantou, ajustando seu casaco de veludo, e disse:

— Sim, será. Não vamos deixar as garotas esperando.

Eram centenas de garotas. Muitas delas! Ele não sabia que havia tantas no mundo. Todas estavam arrumadas para a ocasião. Havia morenas esplêndidas com olhos escuros obcecados, loiras adoráveis e pálidas com cachos perfeitos, ruivas admiráveis com olhos cor de jade e muito mais. Todas desfilando por ele, algumas se escondendo por trás de seus fãs e rindo, enquanto outras tentavam não parecer nem um pouco interessadas quando ele olhava em sua direção. Algumas pareciam nervosas demais para parar de tremer, certas vezes de maneira tão violenta que perdiam a compostura e derramavam suas bebidas.

Havia uma garota com cabelo castanho-avermelhado que ele não conseguia ver adequadamente. Ela parecia sempre estar virada de costas. Devia ser muito bonita, porque ele percebera os olhares maldosos que ela recebia das outras damas quando passavam por ela e, diferente das outras, não estava acompanhada por um monte de garotas. Ela ficava afastada – de quase todo mundo –, parecendo nem um pouco interessada na conversa inútil das donzelas.

– Gaston, quem é aquela garota? Aquela com vestido azul com a qual vi você conversar mais cedo? Qual é o nome dela?

Gaston fingiu não se lembrar, irritando o príncipe.

– Você sabe muito bem a quem estou me referindo, cara! Traga-a aqui e apresente-a para mim.

– Você não se interessaria por ela, confie em mim!

O príncipe ergueu uma sobrancelha.

– Não? E por que não, meu amigo?

Gaston baixou a voz para que os que estivessem próximos não ouvissem.

– Ela é a filha do maluco! Ah, é adorável, sim, mas seu pai é motivo de chacota na vila! Ele é inofensivo, mas se gaba de ser um grande inventor! Está sempre construindo engenhocas que estalam, chacoalham e explodem! Ela não é do tipo com quem você gosta de se misturar, meu amigo.

– Talvez esteja certo, mas mesmo assim gostaria de conhecê-la.

A GRANDE IDEIA DE GASTON

– Ouso dizer que você a acharia muito entediante com sua infinita conversa sobre literatura, contos de fada e poesia.

– Parece que sabe bastante sobre ela, Gaston – o príncipe disse, irônico, balançando a cabeça com conhecimento.

– Lógico que sei! Nos poucos minutos que conversamos agora, ela tagarelou só sobre isso. Não, querido amigo, precisamos encontrar uma dama *adequada*. Uma princesa! Alguém como a princesa Morningstar ali. Ela sim é um deleite! Sem conversa de livros! Aposto que ela nunca leu um único livro ou pensou por si mesma!

O príncipe pensou que essa era uma qualidade muito boa em uma mulher. Ele podia pensar o suficiente por si mesmo e por sua futura esposa.

– Sim, traga a Princesa Morningstar. Eu gostaria muito de conhecê-la.

A princesa Tulipa Morningstar tinha tranças compridas e douradas, uma pele de pêssego e olhos azul-claros. Ela parecia uma boneca enfeitada por diamantes e seda rosa.

Era notavelmente linda – radiante, na verdade. Tudo nela brilhava, com uma exceção: sua personalidade. Mas isso não incomodou o príncipe. Ele tinha personalidade suficiente pelos dois. Não iria dar certo ter uma esposa que tirasse a atenção dele.

Morningstar tinha um hábito encantador de rir quando não tinha nada para falar, o que era a maior parte do tempo. Isso o fazia se achar o melhor tutor. Sinceramente, podia falar sobre qualquer coisa e a atenção dela nunca se desviava dele; ela só ria.

Ele já havia decidido que iria se casar com ela e, a julgar pelos olhares carrancudos das outras damas da festa, deve ter ficado claro.

Gaston parecia realmente feliz consigo mesmo por ter ajudado o amigo a conhecer seu par perfeito. E, de sua parte, ele se certificou de que as outras damas não ficassem sem um parceiro de dança por muito tempo.

O príncipe pareceu notar que Gaston deve ter dançado com todas as garotas aquela noite – com exceção da filha do inventor, que, pelo jeito, não parecia feliz em estar ali, embora ele não pudesse ter certeza de sua expressão, porque não tinha de fato conseguido ver seu rosto claramente a noite toda.

Nada disso importava, no entanto. Ele tinha sua querida princesa Tulipa para cuidar agora.

CAPÍTULO VII

A PRINCESA E O RETRATO

O príncipe estava mais feliz do que nunca porque o Mestre estava indo fazer seu retrato agora que havia pedido a mão da princesa Tulipa Morningstar em casamento. Seria um retrato de noivado com os dois membros mais atraentes da realeza que todos já haviam visto!

A princesa retornou ao reino de seu pai após o baile e aguardava as muitas cerimônias, festas e outros eventos que haveria durante o noivado deles, todos preparando-se, claro, para o casamento mais majestoso de todos os tempos. Por tradição, ela iria morar com sua família, visitando o príncipe frequentemente com sua Babá como dama de companhia e, às vezes, trazendo também sua mãe, contanto que a ocasião exigisse sua presença.

Nesta visita ela viria com sua Babá. Todos estavam animados porque o príncipe havia contratado o Mestre para pintar seu retrato. Ele era o pintor mais querido e mais solicitado em muitos reinos. Desde que o renomado Mestre Criador de Espelhos estivera lá, nenhum outro artista causara tamanha agitação na realeza. Embora sua arte pudesse ser brutalmente exata, a maioria dos nobres não parecia deixar essa característica manchar a opinião deles em relação ao homem.

A princesa Tulipa apareceu bem encharcada em uma tarde chuvosa. Apesar de seu cabelo estar escorrido e suas roupas grudadas nela, de algum jeito, conseguiu continuar bonita, e valeu a pena tê-la resgatado de sua carruagem. O príncipe a beijou com carinho na bochecha e a cumprimentou feliz quando ela saiu da carruagem.

– Tulipa, meu amor! Como foi sua viagem?

Um resmungo veio de dentro da carruagem, e saiu de lá o que deveria ser a Babá de sua querida princesa.

– Foi insuportável, como pode ver! A carruagem tem goteira e ficarei surpresa se minha adorada menina não pegar uma gripe fortíssima! Preciso colocá-la em uma banheira quente imediatamente!

O príncipe piscou algumas vezes e sorriu para a mulher. Ela era inacreditavelmente velha e tinha linhas como uma maçã apodrecida. Seu cabelo e sua pele eram brancas e, apesar da idade avançada, seus olhos brilhavam com vida. Aquela mulher era pura energia em miniatura.

– Muito prazer em finalmente conhecê-la, Babá – ele disse enquanto ela franzia o nariz para ele, como se tivesse algum cheiro ruim no ar.

A PRINCESA E O RETRATO

— Sim, sim, muito prazer em conhecê-lo, Príncipe, com certeza. Mas não vai nos mostrar nossas acomodações para que eu possa colocar esta menina no banho quente?

Cogsworth tomou as rédeas.

— Se me seguir, Princesa, vou levá-la para seu quarto para que possa descansar depois da longa viagem.

Assim, ele levou as damas para o andar superior e elas sumiram.

Bom, o príncipe pensou, esta visita será interessante com a Babá resmungando pelos cantos. Talvez ele pudesse fazer a Senhora Potts diverti-la na cozinha para que conseguisse ter um tempo sozinho com a princesa. Ele não imaginava como seria a semana com ela por perto. Seu medo foi esmagado pelo anúncio de seu outro convidado.

O Mestre!

Ele entrou passeando com uma roupa muito elegante — de veludo e renda em variadas cores de lilás e púrpura. Tinha olhos grandes tristes e a face um pouco inchada, mas parecia mais bonito por isso.

O Mestre olhou como se tivesse uma história insolente para contar, e o príncipe se perguntou se seria uma má ideia colocar a Babá e o Mestre sentados à mesma mesa para o jantar naquela noite. Sua cabeça girou só de pensar na Babá ouvindo as histórias aventureiras do pintor. Precisava de Cogsworth. Ele daria um jeito.

A FERA EM MIM

E foi o que ele fez. A Babá jantou com a Senhora Potts, Cogsworth e os outros funcionários no andar de baixo a convite da Senhora Potts. Não era costume, em nenhuma ocasião, um convidado comer com os funcionários, mas a Senhora Potts tinha muito jeito com as pessoas e, no fim da conversa, as duas estavam trocando histórias do príncipe e da princesa quando eram jovens, determinando qual deles teria sido mais arteiro.

Enquanto isso, o jantar no andar superior estava agradavelmente encantador. As camareiras haviam decorado a sala de jantar de forma esplêndida. Além do arranjo central de flores, havia outros arranjos menores decorados e iluminados à luz de vela, e os detalhes no cristal faziam da luz um detalhe interessante, causando um reflexo elegante nas paredes e nas mesas. Era muito bonito. Mas não tão bonito quanto seu amor adorável, o príncipe pensou. O Mestre quebrou o silêncio.

– Ao amor em todas as formas assustadoras e vexatórias!

Tulipa riu por trás de seu guardanapo enquanto o Mestre ficara parado dramaticamente ereto com sua taça levantada no ar, esperando que alguém correspondesse ao seu brinde. O príncipe temeu que o Mestre ficasse congelado ali para sempre como uma de suas pinturas se ele não dissesse algo rápido.

– Sim! Ao amor – ele disse e acrescentou rapidamente: – e a você, Mestre!

A PRINCESA E O RETRATO

A princesa Tulipa riu de novo, aquecendo ainda mais o coração do príncipe. Ele amava como ela era doce e discreta, tão satisfeita por apenas ficar ali sentada, e sempre encantadora enquanto o fazia. Realmente não poderia ter escolhido donzela melhor para ser sua noiva.

— Eu não poderia estar mais feliz por ter você aqui, Mestre! Sei que vai capturar o momento de maneira perfeita! Vamos nos lembrar do nosso noivado não apenas com lembranças apaixonadas, mas com... como você fala? Ah, sim, nossos sentidos serão atingidos instantaneamente por uma recordação visceral e profunda do momento exato no tempo.

O Mestre pareceu agradecido.

— Me sinto honrado por lembrar tão nitidamente de minhas palavras! — Então voltou sua atenção para a jovem donzela, esperando capturar algo de sua personalidade. — Você deve estar transbordando de animação, Princesa, não está?

Os olhos da princesa se arregalaram com surpresa. Ela mal sabia o que responder.

— Ah, sim, estou. Estou muito ansiosa pelo casamento.

— É claro que está! Mas é lógico que eu estava falando da nossa pintura! Quero ver uma seleção de vestuários de cada um de vocês para aprovação, e precisamos discutir o local. O jardim das rosas parece ser um cenário encantador, na minha opinião! Sim, será no jardim! — Ele continuou:

A FERA EM MIM

– Parece que todo retrato feito com um sentimento real é um retrato do artista, e não dos modelos. Ouso dizer que ambos ficarão magníficos!

Tulipa piscou mais do que algumas vezes, tentando entender o que ele queria dizer.

– Você estará no retrato conosco, Mestre? – ela perguntou.

Os dois cavalheiros riram.

A princesa Tulipa Morningstar não sabia se eles estavam rindo do que ela dissera porque era inteligente ou obtusa, mas resolveu agir como se tivesse sido a coisa mais inteligente que dissera, e esperava que o tópico da conversa mudasse para alguma coisa de que ela não precisasse participar.

O Mestre, notando sua expressão de medo, adicionou:

– Não se assuste, querida Tulipa. Às vezes sou tão esperto que nem eu entendo uma única palavra que digo.

A isso, a princesa pôde responder apenas assim:

– Oh! – E então riu um pouco mais, o que parecia agradar a todos, porque eles se juntaram a ela, dando risada.

Na manhã seguinte, o trio magnífico estava no jardim. O Maestro desenhava o esboço e os amantes faziam seu melhor para permanecer na pose sem dar ao pintor motivo para brigar com eles.

– Príncipe, por favor! Este é para ser o momento mais feliz de sua vida e sua expressão parece dizer que você

A PRINCESA E O RETRATO

acabou de comer algo azedo! Por que parece infeliz? O que pode estar pensando que faz sua face se contorcer tanto?

O príncipe estava, na verdade, pensando na última vez em que esteve no jardim, a noite em que terminou com Circe. Os acontecimentos estavam embaçados em sua mente e ele estava se esforçando muito para entender tudo. Com certeza, Circe havia trazido suas irmãs misteriosas e elas proclamaram que ele estava amaldiçoado por suas atitudes. Tinha certeza de que não imaginara isso, mas a maldição, essa era uma baboseira... não era? Às vezes ele não conseguia deixar de sentir medo de que aquilo fosse verdade.

O príncipe foi tirado de seus pensamentos pela voz de Cogsworth.

– O almoço está servido.

O Mestre jogou no chão seus carvões de desenho, quebrando-os em pedaços menores que se desmancharam em pó.

– Muito bem! Acho que prefiro almoçar no quarto! Sozinho! – Ele bufou e saiu batendo o pé, sem proferir uma única palavra de saudação ao casal feliz.

Ao invés de rir, como sabemos bem que é o que Tulipa faz, ela caiu em lágrimas por ter sido repreendida.

A FERA EM MIM

O príncipe parecia, então, ter que lidar com o Mestre bipolar, sua Tulipa chorona e a Babá azeda. Como seria o resto da semana?

Capítulo VIII

A flor murcha

No dia seguinte, a princesa Tulipa Morningstar e o príncipe tomaram café da manhã em silêncio na sala matinal. Ela não perguntou ao príncipe onde ele esteve na noite anterior ou por que não havia comparecido ao jantar. Ela foi obrigada a jantar com o Mestre e se sentiu humilhada quando ele lhe perguntou onde estava o príncipe e ela não soube o que responder. Ela queria matá-lo, na verdade. Por dentro, estava queimando de raiva, mas sua Babá alertou-a para nunca demonstrar raiva. Ficar irritada não era coisa de mulher. A Babá disse que é comum as mulheres se sabotarem, inconscientemente, quando abordam o marido e questionam suas atitudes. Ficar quieta e não falar nada já era uma forma de repreensão. Mas dizer alguma coisa só dava motivo a ele para distorcer a situação contra a dama, alegando que estava muito emotiva e fazendo tempestade em copo d'água, deixando-o bravo com ela.

Tulipa não entendia isso muito bem, mas reparava que a Babá não seguia o próprio conselho e pensava que, talvez, fosse por isso que ela nunca se casara. Então ela não dizia nada. Os únicos sons no cômodo eram das louças batendo e dos pássaros cantando do lado de fora das janelas adoráveis da sala matinal. A sala era inteira rodeada por janelas envidraçadas e tinha a vista mais surpreendente do jardim. Tulipa pensou em si mesma no futuro, sentada ali, olhando pelas janelas por horas, abatida. Ela queria que o príncipe dissesse alguma coisa, qualquer coisa para quebrar o silêncio. Não conseguia pensar em nada para dizer; qualquer coisa que dissesse com certeza soaria como repreensão, e seu tom… tinha quase certeza de que não seria tranquilo.

Ela só ficou ali sentada tomando seu chá e comendo seu pãozinho, esperando que ele falasse. Enquanto isso, pensou na garota que conhecera no baile. Ah, qual era seu nome? Era bonito, quase musical. Provavelmente era o tipo de garota que censuraria o príncipe em uma situação como essa exigiria, na verdade, saber onde o príncipe esteve na noite anterior. Então, de novo, a garota com o nome bonito provavelmente não era do tipo com o qual um príncipe se casaria. Ela suspirou. Seus pensamentos foram interrompidos pelo som da voz dele, finalmente.

– Tulipa.

A FLOR MURCHA

Os olhos dela brilharam quando o ouviu pronunciar seu nome.

– Sim? – ela respondeu, esperando que ele pedisse desculpas por não ter comparecido naquela noite preciosa e tê-la deixado sozinha ouvindo o Mestre falar sem parar sobre sua arte.

– É melhor não deixarmos o Mestre esperando.

Ela ficou decepcionada.

– É claro, devemos ir para o jardim?

– Sim, suponho que sim.

O resto da semana passou do mesmo jeito. A princesa Tulipa Morningstar ficava emburrada e brincava com a gata do castelo, o Mestre gesticulava exageradamente ao fazer discursos longos sobre arte em qualquer oportunidade e o príncipe fugia para a taverna com Gaston todas as tardes, assim que acabavam de posar para o pintor.

No dia da revelação do novo retrato, uma pequena festa familiar fora planejada. Tulipa estava mais bem-humorada por ter sua mãe, a rainha Morningstar, ali, assim como algumas moças para auxiliá-la. Gaston também estava presente, assim como alguns amigos próximos do príncipe. Claro que o rei Morningstar não conseguiu se ausentar de suas funções na corte, mas enviou presentes generosos para sua filha e seu futuro genro.

Depois de eles terem comido bastante no que fora um dos jantares mais saborosos que a Senhora Potts já preparara, todos foram para o grande salão para participar da revelação do retrato. O grande salão era cheio de pinturas de toda a família do príncipe, incluindo retratos dele que foram feitos na época em que era criança.

– Ah! Vejo que pendurou o retrato do Mestre aqui no grande salão, onde os retratos devem ficar. Boa ideia, meu velho! – disse Gaston, observando o rosto das pessoas com quem crescera.

– Sim, achei que ficaria melhor aqui.

Um barulho alto de alguém limpando a garganta foi ouvido do outro lado do salão, onde o Mestre estava parado em pé. Parecia que ele pensava que a ocasião exigia mais formalidade e que aquele bate-papo estava depreciando o evento. Ainda bem que ele não teria que suportar sua companhia por mais tempo.

– Sim, bem, sem mais delongas, eu gostaria de compartilhar o meu mais recente tesouro precioso.

Assim, Lumière puxou a corda, que soltou o tecido preto de seda que escondia a pintura. Irromperam-se ruídos altos de suspiros e aplausos. Todos pareciam estar bem impressionados com a pintura, e o Mestre aceitou o elogio como se fosse um ator no palco – fazendo reverência e colocando a mão sobre o coração para indicar que estava de fato emocionado.

Sem dúvida, ele estava.

A FLOR MURCHA

O príncipe não conseguia deixar de notar como fora representado com traços fortes. Seus olhos pareciam cruéis, ameaçadores, quase como os de um lobo perseguindo sua presa, e sua boca parecia mais fina, mais sinistra do que antes. Gaston deu uma leve cotovelada no príncipe.

– Diga alguma coisa, homem! Eles estão esperando um discurso! – sussurrou no ouvido do príncipe.

– Não podia querer um retrato mais bonito da minha noiva! – o príncipe desabafou, finalmente.

A princesa Tulipa ficou muito ruborizada e disse:

– Obrigada, meu amor. E eu também não poderia querer uma visão mais bonita e respeitável de meu futuro marido.

Respeitável? Essa palavra não era usada para homens mais velhos? Ele parecia *respeitável*? Sua visão, como ela chamou, estava chocante e gasta, não parecia a de um homem que ainda não fizera 20 anos, mas de um homem em seus 40 e poucos. Isso não dava para aceitar. Respeitável!

A festa foi levada para fora do grande salão e para a sala de música, onde um grupo de músicos esperava para animar os convidados. De todo modo, a noite foi agradável o suficiente, porém o príncipe não conseguia esquecer a pintura. Ele parecia tão acabado, tão feio. Será que Tulipa concordara em se casar com ele só porque seria rainha daquelas terras? Será que ela o amava?

Ele não conseguia ver como isso seria possível.

Saiu de fininho da festa para confirmar a representação do Mestre no espelho de seu quarto. Apenas ficou ali parado, olhando, tentando se encontrar no homem que o encarava de volta. Por que ninguém dissera nada? Como ele podia ter mudado tanto em tão pouco tempo?

No fim daquela noite, quando os convidados do príncipe e seus funcionários estavam todos em suas camas, o príncipe saiu de suas acomodações e foi até o corredor comprido e escuro. Estava com medo de acordar a rainha Morningstar. É claro que ela pensaria que ele estava tentando ir para o quarto da princesa, mas isso era a última coisa que passava pela sua cabeça. Quando passou pelo quarto de Tulipa, um som de rangido o deixou alerta, mas era só aquela maldita gata abrindo a porta. Ele não fazia ideia de por que a princesa gostava tanto do animal. Havia algo sinistro no jeito que aquele felino olhava para ele e algo misterioso em suas atitudes, o que o fazia parecer uma criatura que andava por cemitérios, e não por castelos.

Bom, se a rainha realmente acordasse e o visse perambulando pelos corredores, não acreditaria que iria observar sua pintura novamente. Ele estava dormindo muito mal e era incapaz de descansar, só conseguindo pensar naquele retrato horroroso. Depois que entrou no grande salão e acendeu as velas, ficou lá parado observando a pintura de novo. Ele realmente havia mudado – aquilo ficara claro quando se olhara no espelho mais cedo mas, com certeza, o Mestre dramatizara essas mudanças. Era só ver a diferença entre esse retrato e o último, feito há menos de um ano. Não havia como um homem mudar tão drasticamente. Ele nunca perdoaria o Mestre por ter feito uma representação tão desfavorável. Decidiu que o homem tinha que pagar por uma atitude tão injusta.

A linda gata laranja e preta parecia concordar com o príncipe, porque ela semicerrou os olhos da mesma forma que ele fez quando maquinou sua vingança.

Obedecendo às ordens do príncipe, Cogsworth carregou as carruagens com as malas dos convidados bem cedo na manhã seguinte. A Senhora Potts ficara chateada por não ter a oportunidade de servir café da manhã aos convidados antes de partirem, então ela encheu uma mala grande com coisas adoráveis para eles comerem durante a viagem. O sol mal podia ser visto, e o topo das árvores estava embaçado pela névoa. Fazia um frio terrível, e não parecia inquestionável que o príncipe estivesse ansioso para voltar para dentro do castelo, onde podia se aquecer.

Ele se despediu dos convidados, agradecendo-os e cumprimentando-os, com promessas de amor e muitas cartas para Tulipa. Suspirou de grande alívio quando as carruagens partiram. Gaston, que estivera parado em silêncio ao seu lado, finalmente falou.

— Então, por que me acordou a uma hora terrível como esta, meu amigo?

— Preciso de um pequeno favor. Há algum tempo você mencionou um companheiro especificamente inescrupuloso que pode ser chamado para certas funções.

Gaston ergueu as sobrancelhas.

— É claro que há um jeito de não se casar com a Princesa sem ter que matá-la!

O príncipe riu.

— Não, cara! Estou falando do Mestre! Gostaria que você fizesse tudo para mim. O incidente não pode ser rastreado até mim, entendeu?

Gaston olhou para seu amigo e disse:

— Absolutamente!

— Obrigado, meu bom amigo. E assim que a questão estiver resolvida, o que me diz de um dia de caça?

— Parece perfeito! Não quero mais nada.

Capítulo IX

A estátua no observatório

Conforme a carruagem da princesa Tulipa Morningstar entrava no caminho que levava ao castelo do príncipe, ela pensava que não havia nada mais maravilhoso do que a vista do castelo no inverno. O reino de seu pai era lindo, sim, mas não se comparava ao do príncipe, principalmente quando estava coberto de neve e decorado para o solstício de inverno.

Todo o castelo estava iluminado e brilhando na noite escura de inverno. Ela tinha grandes expectativas para essa visita e não queria nada a não ser que o príncipe a tratasse com gentileza e amor, como um dia o fizera. Claro que o feriado de inverno melhoraria seu humor azedo e traria de volta o homem por quem se apaixonara naquela noite de sonho no baile.

Olhe, Babá, não é linda a forma como o caminho é limitado pela luz das velas?

A Babá sorriu e disse:

— Sim, minha criança, é muito lindo. Mais adorável ainda do que imaginei que seria.

Tulipa suspirou.

— O que foi, Tulipa? O que a está atormentando?

Tulipa não disse nada. Ela amava sua querida Babá e não podia se deixar perguntar o que ficara ensaiando todo o caminho do reino de seu pai até o destino delas.

— Acho que eu sei, meu amor, e não se apavore. Não vou dar nenhum motivo para o Príncipe ficar irritado nesta visita, eu juro. A Babá guardará os pensamentos para si mesma desta vez.

Tulipa sorriu e beijou-a na bochecha cheia de rugas.

— Isso mesmo, dê um beijo em sua velha Babá e esqueça seus problemas. É solstício, querida, sua época favorita do ano, e nada vai te deixar aborrecida, juro para você!

A carruagem chegou à frente do castelo, onde Lumière estava parado, esperando para abrir a porta.

— *Bonjour*, Princesa! Você está muito linda, como sempre! É tão agradável vê-la de novo!

Tulipa riu e ficou vermelha, como sempre fazia quando Lumière falava com ela.

— Olá, Lumière. Acredito que o Príncipe esteja cuidando de questões mais urgentes do que conseguir tempo para receber sua noiva, que viajou o país todo para visitá-lo no solstício? — resmungou a Babá.

A ESTÁTUA NO OBSERVATÓRIO

Lumière ignorou a provocação.

– De fato, Babá! Se ambas me seguirem, Christian levará a bagagem das senhoritas para suas acomodações na Ala Leste.

A Babá e Tulipa olharam-se maravilhadas. Normalmente, elas seriam levadas para o quarto para descansar depois da longa viagem. Mas Lumière as guiou por muitos cômodos grandes e lindos até finalmente chegarem a uma porta grande embalada por um laço dourado gigante, parecendo um presente extravagante.

– O que é isso? – a Babá foi direta.

– Entrem e vejam por si mesmas!

Tulipa abriu a porta gigante com o laço e encontrou uma paisagem de inverno lá dentro. Havia um tronco de árvore enorme que alcançava o teto dourado bem alto. Estava coberto de luzes magníficas e lindamente decorado com joias que emitiam brilho. Sob a árvore havia um monte de presentes, e entre eles estava o príncipe, com os braços abertos como se esperasse para recebê-la. O coração de Tulipa se encheu de alegria! O príncipe parecia estar com um humor maravilhoso!

– Meu amor! Estou tão feliz em vê-lo! – Ela envolveu os braços na cintura dele e o abraçou.

– Olá, minha querida. Você está bem cansada da viagem, não está? Estou surpreso por não ter insistido para ser levada às suas acomodações e ficar apresentável

A FERA EM MIM

antes de me encontrar. – O príncipe fez uma careta como se estivesse olhando para uma empregada suja, e não a mulher que amava.

– Desculpe, querido, você está certo, é claro.

Lumière, sempre cavalheiro, e ansioso para agradar as damas, adicionou:

– É minha culpa, meu senhor. Insisti para que ela me seguisse. Sabia que o senhor estava animado para mostrar à Princesa sua decoração.

– Entendi. Bem, Tulipa querida, logo você será rainha destas terras e, mais importante, rainha desta casa, e deve aprender a decidir sozinha o que é certo e insistir nisso. Tenho certeza de que, na próxima vez, fará a escolha certa.

Tulipa ficou com um rubor intenso, mas encontrou a voz mais autoritária que conseguiu.

– Sim, meu amor e Príncipe. Lumière, se puder mostrar a mim e à Babá nossos quartos para que nos aprontemos para o jantar...

Com isso, ela saiu do cômodo sem nem dar um beijo no príncipe, pois estava correndo para evitar que ele a visse à beira das lágrimas.

Como ele ousava sugerir que ela estava inadequada para vê-lo após sua chegada? Ela parecia grotesca? Lumière pareceu ouvir seus pensamentos.

A ESTÁTUA NO OBSERVATÓRIO

— Como eu disse quando chegaram, querida Princesa
— ele falou —, a senhorita está linda como sempre. Não dê
ouvidos às palavras do mestre. Ele está muito distraído
ultimamente.

Babá e Tulipa só olharam uma para a outra, perguntando-se o que essa viagem guardava para elas.

Capítulo X

O observador no observatório

Para Tulipa, parecia haver menos empregados do que da última vez, embora o castelo não parecesse sofrer com isso; parecia ainda mais grandioso do que o normal, decorado para o solstício. Sua dama de companhia favorita, Pflanze, uma linda gata branca, preta e laranja, estava disposta a lhe fazer companhia.

– Olá, linda Pflanze! – ela disse à sua amiguinha, e se inclinou para acariciar sua cabeça.

– Então você deu um nome a ela? Que nome estranho. O que significa?

Tulipa olhou para cima e viu o príncipe parado diante dela.

– Ah! Eu não sei! Achei que você tivesse inventado. Tinha certeza de que havia sido você a me dizer o nome dela – a princesa respondeu.

A FERA EM MIM

– Não fui eu. Eu nem gosto desse bicho! – ele comentou, lançando um olhar maldoso a Pflanze enquanto ela o olhava de lado como de costume e lambia suas patas.

– Outra pessoa deve ter me falado, então – disse a princesa.

– Com certeza! Isso está claro, outra pessoa falou para você! Eu poderia ter descoberto isso sozinho! E como tem uma cabeça de vento, esqueceu completamente quem te disse. Mas é claro que outra pessoa te disse!

– Sim – disse Tulipa com a voz muito fina, tentando desesperadamente não deixar seu lábio tremer.

Ele continuou:

– Deixe pra lá! Vi que não se trocou para o jantar ainda! Bom, não podemos deixar a Senhora Potts esperando. O que está usando vai ter que servir! Venha! Vou acompanhá-la até a sala de jantar, mesmo que não esteja vestida para o grande evento planejado em sua homenagem!

Tulipa ficou muito triste e seu rosto ficou vermelho. Ela tinha, na verdade, se trocado para o jantar, e se arrumou consideravelmente bem – pelo menos, era o que ela pensava. Estava usando um de seus vestidos mais chiques e pensara estar muito bonita antes de descer a escadaria. Esforçou-se muito para ficar impecável devido ao que acontecera em sua chegada. Agora ela não queria outra coisa a não ser sair correndo desse lugar e nunca mais voltar, mas ela estava presa. Presa por aquele príncipe terrível! Não importava como ele era rico, como

O observador no observatório

era grande seu reino ou sua influência; não suportava a ideia de se casar com um grosseirão como ele. Como ela escaparia? Não sabia o que fazer. Resolveu ficar quieta até poder falar com a Babá.

Depois do jantar, Tulipa perguntou ao príncipe se ele queria dar uma volta, e ele concordou. Ele estava rabugento e quieto, mas não bravo, então ela estava grata por isso. Andaram em volta do lago, que ficava congelado nessa época do ano, mas ainda era esplendidamente lindo.

— Poderia me mostrar o observatório, meu amado? O céu está bem limpo e eu devo gostar da vista da qual você fala tão frequentemente.

— Se é o que quer.

Eles subiram a longa escadaria de pedra em espiral até chegar ao último andar do observatório. Mesmo sem telescópio, a vista era hipnotizante. Tulipa conseguia ver todo o céu através do teto de vidro arqueado. As estrelas pareciam estar piscando para ela pela alegria que sentiu ao olhar para elas.

Parecia que eles não eram os únicos que decidiram que era uma noite boa para apreciar as estrelas. Alguém já estava olhando pelo telescópio quando eles chegaram no topo das escadas.

— Olá! Quem está aí?

O observador não respondeu.

— Eu perguntei quem está aí!

A FERA EM MIM

Tulipa estava com medo, principalmente depois de o príncipe colocá-la atrás dele para protegê-la mas, conforme o príncipe se aproximou do intruso, percebeu que não era uma pessoa, era uma estátua.

– O que é isso? – Ele estava confuso. Nunca houvera uma estátua ali em cima, e como alguém levara aquilo para cima sem instrumentos elaborados? Não havia como algo tão pesado ter sido carregado sem ele saber.

Tulipa começou a rir por estar aliviada.

– Ah, ufa! É só uma estátua! Me sinto tola por estar tão assustada!

Mas o príncipe ainda estava confuso quando ela tagarelou:

– Mas realmente parece assustador, não é? Quase pareceu que estava nos olhando de lado quando entramos! E é muito estranho uma estátua estar inclinada olhando pelo telescópio! Impede que olhemos por ele! Tenho certeza de que isso não foi ideia sua, querido! Sinceramente, acho que não gostei. Homem ou mulher, não importa, parece aterrorizante, não acha? Como se algo horrível o tivesse atacado e transformado em pedra?

O príncipe mal ouvia o que ela estava falando; sua mente foi violada repentinamente por vozes terríveis do passado.

Seu castelo e suas terras também serão amaldiçoados, então, e todos dentro delas serão obrigados a compartilhar seu fardo. Nada além de pavor rodeará você, desde se olhar no espelho até se sentar em seu amado jardim.

O príncipe estremeceu ao ouvir a voz da bruxa. Afinal, ele estava amaldiçoado? Primeiro, a mudança drástica em sua aparência, e agora esse acontecimento estranho?

Seus funcionários presos em pedra? Ele não conseguia imaginar como era ficar preso assim. Perguntou-se se a pessoa petrificada conseguia ouvi-los conversando. Se a pessoa tinha consciência de que estava petrificada. Aquele pensamento causou um arrepio na espinha do príncipe.

— Querido, você está pálido! Qual é o problema? — a princesa Tulipa perguntou.

O coração do príncipe estava acelerado, seu peito estava pesado, e era difícil de respirar. De repente, percebeu que tudo que as irmãs disseram estava se tornando realidade.

— Tulipa! Você me ama? Quero dizer, realmente me ama?

Quando ela olhou para ele, ele parecia um menininho perdido, e não o grosseiro carrancudo com quem ela esteve ultimamente.

— Amo, meu amor! Por que pergunta?

Ele pegou a mão dela e a segurou firme.

— Mas você me amaria se eu ficasse desfigurado de algum jeito?

— Que pergunta! É claro que amaria!

O coração dela foi novamente amolecido pelo príncipe. Desde a noite em que eles se conheceram e que ele a pediu em casamento, ele não havia sido tão gentil.

– Você sabe que eu amo você, minha querida! Amo mais do que qualquer coisa! – ele disse, desesperado, enquanto suas palavras gentis inundavam com lágrimas os olhos da princesa.

– Agora eu amo, meu amor! Agora eu amo!

A princesa Tulipa estava mais feliz do que nunca na véspera do solstício. Não imaginara tal transformação na personalidade do príncipe; no entanto, desde a noite no observatório, ele não fora nada além de gentil com ela.

– Ah, Babá! Eu o amo muito! – ela sussurrou, enquanto saboreava seu vinho apimentado.

– Como você mudou rapidamente de sentimento, minha querida! – disse a Babá.

– Mas, Babá! A disposição dele tem flutuado muito de um instante para outro! Mas eu realmente sinto que enfim é ele mesmo de novo.

A Babá não parecia convencida.

– Vamos ver, minha querida.

O OBSERVADOR NO OBSERVATÓRIO

O príncipe definitivamente parecia feliz, a Babá tinha que admitir, e parecia estar se desdobrando para fazer Tulipa feliz. Era quase cômico, na verdade, quase como uma chacota do amor. Mas sua Tulipa estava feliz, então ela não causava brigas nem lançava olhares cruéis em direção a ele. Ela reparou, entretanto, que Pflanze, que ficava no colo de Tulipa, olhava para o príncipe com olhos odiosos. A Babá tinha que se perguntar por que aquela gata o detestava tanto. Talvez ela também notasse sua estratégia.

O príncipe estava muito feliz com a véspera do solstício. Estava um pouco exausto de dispor de suas atenções para Tulipa, mas decidira que não havia melhor forma de quebrar o feitiço do que se casar com a princesa Morningstar. Estava claro que ela o amava muito, então ele estava quase lá. O importante agora era fazer as irmãs acreditarem que ele a amava também.

Lógico que realmente havia coisas que ele amava nela. Ele amava sua beleza, sua modéstia e o modo como guardava sua opinião para si mesma. Não havia nada que ele detestasse mais do que uma garota com muita opinião.

Ele gostava que ela não mostrasse interesse em livros e que não tagarelasse sobre seu passado. Na verdade, ele não fazia ideia de como ela passava o tempo quando não estava em sua companhia. Era como se nem existisse quando não estava com ele. Ele a imaginava sentada em sua cadeirinha no castelo de seu pai, esperando que ele a mandasse ir para lá.

Amava como ela nunca lhe dera um olhar atravessado ou o desprezara, mesmo quando ele estava de péssimo humor, e como ela era fácil de lidar. Com certeza isso valia alguma coisa; com certeza era uma forma de amor, não era? E ele imaginou que, quanto mais gentil fosse com ela, mais rapidamente desfaria a maldição.

Então esse era o objetivo da visita, mostrar às irmãs como ele amava a princesa Tulipa Morningstar. Mas como teria a atenção delas?

Ah, sim, elas disseram que o príncipe e sua amada precisavam selar seu amor com um beijo. Bem, isso seria muito fácil. Ele só teria que inseri-la em um clima romântico e *bum!* Um beijo! Um beijo do qual ela nunca mais se esqueceria!

Ele planejou tudo com Lumière, que era o melhor planejador de coisas românticas.

— Interlúdios românticos — era como ele as chamava. — Ah, sim, Príncipe, ela vai derreter em seus braços com muita felicidade quando vir o que temos reservado para ela, escreva o que estou dizendo!

— Maravilha, Lumière. E a Senhora Potts... ela vai atrapalhar o piquenique, não vai?

— Tudo está arranjado, até a Babá. Nós a convidamos para uma festa do chá no andar de baixo, então ela estará

O OBSERVADOR NO OBSERVATÓRIO

muito ocupada, e os pombinhos apaixonados poderão voar livres sem se preocupar em serem vigiados.

O príncipe riu. Lumière era sempre tão poético quando falava de amor, tão dedicado à noção daquele sentimento. Tudo daria certo com ele planejando essa escapadinha, e tinha certeza de que Tulipa ficaria muito feliz.

CAPÍTULO XI

CHÁ DA MANHÃ

Na tarde seguinte, na sala matinal, Tulipa estava ocupada com algum bordado enquanto acariciava Pflanze, que brincava com alguns novelos de lã que caíam na almofada de veludo vermelha.

A Babá estava falando, provavelmente com Tulipa, sobre o bolo de frutas da Senhora Potts e se perguntando como seria difícil arrancar a receita dela quando Lumière entrou no cômodo.

— Com licença, adoráveis senhoritas, mas minha querida Tulipa, poderia dispensar a Babá por alguns instantes? A Senhora Potts fez chá para ela no andar de baixo. Acho que está ansiosa pela sua companhia, Babá.

A Babá olhou para Lumière com um olhar astuto.

A FERA EM MIM

– E sim, Babá, com certeza ela fez o bolo de pêssego para acompanhar o chá. Ela sabe quanto você admira seus bolos de frutas.

A Babá sorriu.

– Tulipa, querida, você não se importaria, não é? Não vai se sentir muito solitária se a Babá der uma saidinha para uma xícara de chá com a velha Senhora Potts?

Tulipa sorriu para sua Babá e disse:

– Claro que não, tenho Pflanze para me fazer companhia. – Então, olhando para a gata, ela adicionou: – Não é, minha menina?

Pflanze só olhou para Tulipa com seus olhos dourados grandes delineados de preto, com pontinhos verdes, e piscou devagar para ela como se dissesse "sim".

– Viu? Vou ficar bem! Vá tomar seu chá!

E a Babá foi.

Tulipa não sabia o que faria sem a Babá. Mas sabia que, assim que se casasse, não poderia mais justificar sua presença na casa. Ela iria, é claro, ter uma auxiliar – alguém para pentear seu cabelo, vesti-la, arrumar suas joias –, mas não seria a mesma coisa. Não conseguia imaginar compartilhar seu sentimentos com alguém que não fosse a Babá. Talvez, já que ela e a Senhora Potts haviam se tornado tão amigas, não seria estranho mantê-la no castelo. Ela teria que conversar com sua mãe sobre isso quando

CHÁ DA MANHÃ

voltasse para casa. Contudo, e se sua mãe fosse incapaz de dispensar a Babá ou pensasse que seria inadequado, de alguma forma, Tulipa trazê-la para morar junto com ela? Era muito doloroso pensar nisso agora.

O príncipe entrou no cômodo, tirando Tulipa de seus pensamentos sobre as futuras preocupações com a casa. Ela sabia que ele não gostava que Pflanze se sentasse em suas almofadas chiques, mas não conseguia evitar mimar a criatura, e ele pareceu não reparar nisso.

– Olá, meu amor. Tenho uma surpresinha para você. Acha que posso roubá-la um pouco enquanto não precisamos nos preocupar com a Babá? Ela sempre está xeretando por aí e perguntando onde você está.

O rosto de Tulipa se transformou em algo brilhante e claro. Ela não conseguia se lembrar de ficar tão feliz, nem quando seu pai lhe deu Cupcake, sua égua preferida. Ah, Cupcake! Ela mal podia esperar para vê-la de novo. Perguntou-se se o príncipe faria objeção a trazê-la para morar aqui assim que eles casassem. Era tanta coisa para pensar.

– Querida? – A voz dele trouxe Tulipa de volta de seus pensamentos profundos.

– Ah, sim, meu amado, me desculpe. Eu só estava pensando no quanto amo você! E como é gentil em pedir à Senhora Potts para convidar a Babá para o chá para que possamos passar um tempo juntos.

O príncipe sorriu. Sua cabeça de vento havia descoberto o plano. Que milagre!

A FERA EM MIM

– Então descobriu meu esquema esperto? Não é uma garota astuta? – ele disse. – Venha agora! Tenho algo para lhe mostrar.

– O que é? – Tulipa deu um gritinho como uma menininha empolgada.

– Você terá que esperar e ver, meu amor, mas primeiro terá que colocar isso.

Ele lhe entregou uma tira de seda branca.

Ela olhou com estranhamento para ele.

– É uma surpresa, meu amor. Confie em mim. – Ele a ajudou a amarrar a venda e a levou para o que ela tinha certeza de que era o jardim. Soltou a mão dela e, gentilmente, a beijou na bochecha. – Conte até cinquenta, minha querida, e então tire a venda.

Ele pôde ver que ela estava assustada.

– Minha querida, você está tremendo. Não há nada a temer. Estarei esperando você no fim de sua jornada.

– Minha *jornada*? – A voz dela estava baixa e confusa.

– Não será uma longa jornada, minha princesa, o caminho estará bem claro. Agora conte até cinquenta.

Ela podia ouvir os passos dele indo cada vez mais longe conforme ela contava na cabeça. Era besteira estar tão assustada, mas não havia nada que detestasse mais do que a escuridão. A Babá tentara de tudo, mas o pavor de Tulipa não diminuíra. Tentou não contar

CHÁ DA MANHÃ

muito rápido para não estragar a surpresa do príncipe, mas se viu ficando com muito medo do escuro.

– Quarenta e oito, quarenta e nove, cinquenta!

Ela tirou a venda dos olhos. Levou um instante para se adaptar ao que viu no caminho diante dela. A ponta de seus dedos dos pés tocava as pétalas de rosa espalhadas pelo jardim para criar um caminho que levava diretamente para um labirinto de cerca viva. Seus medos se esvaíram conforme andou rapidamente sobre as pétalas, ansiosa para se aventurar no labirinto formado por animais. As pétalas a levaram por uma serpente excepcionalmente grande, sua boca aberta por completo, mostrando presas compridas e fatais. A serpente se curvava para o outro lado, revelando uma parte do labirinto que ela nunca tinha visto. Era uma réplica do castelo, quase exatamente igual, com exceção dos muitos abutres e carrancas decorando cada canto e torre. Ela imaginou seus futuros filhos brincando ali um dia, rindo e fazendo um jogo com os animais do labirinto. Que lugar adorável para crianças. Parou de sonhar acordada e seguiu as pétalas de rosa, passando por muitos animais bizarros, alguns que ela nem conhecia. Frequentemente se sentia inferior por ter nascido mulher, sem ter tutores como seu irmão tinha ou a liberdade para explorar o mundo. As mulheres conheciam o mundo através de seus pais, seus irmãos e, se tivessem sorte, seus maridos. Não parecia muito justo.

A FERA EM MIM

Ela foi feita para ser mulher – sabia como costurar, cantar, pintar aquarela e até tocar piano razoavelmente bem –, mas não conseguia falar o nome de todos os animais no que logo seria seu labirinto de cerca viva. Ela se sentia estúpida na maior parte do tempo e esperava que os outros não a vissem dessa forma, porém temia que acontecesse com frequência.

– Não ligue para isso – ela disse para si mesma, e ficou surpresa ao ver que a trilha de pétalas conduzia para fora do labirinto e para longe dos animais misteriosos que a faziam se sentir tola, rumo a um jardim com o qual ela ainda não tivera contato.

Era cercado por um muro em semicírculo e, dentro dele, havia flores coloridas. Por um instante, pensou que fosse primavera; era uma cena tão memorável, tão colorida e cheia de vida no meio da paisagem de inverno. Não conseguia entender como as flores sobreviviam com tanto frio. Espalhadas entre elas havia lindas estátuas, personagens de lendas e mitos; ela conhecia por ouvir as aulas do irmão com seus tutores antes de a Babá levá-la para praticar o caminhar.

Praticar o caminhar, literalmente!

É por isso que os homens não levavam as mulheres a sério: elas tinham aulas sobre como caminhar, enquanto eles aprendiam línguas antigas.

O jardim era deslumbrante e parecia muito um conto de fadas, preenchido com a luz azul fria da tarde de

Chá da manhã

inverno. Aninhado no centro do jardim encantado, todo rosa e dourado, estava um banco de pedra, no qual seu amado esperava por ela, sorrindo com a mão estendida.

– É tão lindo, meu amor! Como é possível?

O sorriso do príncipe se alargou.

– Fiz com que as flores da estufa fossem trazidas para cá para que você vivesse um pouco a alegria da primavera.

Ela suspirou.

– Você é maravilhoso, meu amado! Obrigada – ela disse, recatada, baixando os olhos para as flores na neve.

O príncipe decidiu que o momento era esse – o momento em que ele a beijaria e quebraria o feitiço.

– Posso te beijar, meu amor?

Tulipa olhou em volta como se estivesse esperando que sua mãe ou a Babá aparecessem do labirinto ou pulassem de trás de uma estátua. Então, decidindo que não se importava se o fizessem, ela o beijou! E o beijou de novo e de novo.

Conforme eles voltaram para o castelo, o príncipe parecia mais feliz e mais tranquilo do que nunca. Era tudo tão inesperado – esse dia, sua atenção, a visita inteira, realmente. Ela se sentia muito melhor em relação ao seu casamento. Ficara preocupada antes, e agora mal conseguia se lembrar por quê.

A FERA EM MIM

– Ouviu isso, Tulipa? – O humor do príncipe mudou de alegre para apavorado.

– Ouvi o quê, querido?

Ela não ouvira nada a não ser os pássaros cantando nas árvores próximas cobertas de neve.

– Esse barulho… parecia um animal, um rugido.

Tulipa riu, fazendo piada dele.

– Talvez os animais do labirinto tenham ganhado vida e vão nos comer vivos!

Parecia que o príncipe havia levado seu comentário a sério. Seus olhos estavam arregalados conforme ele tentava localizar a besta selvagem.

– Você não acha mesmo que tem um animal aqui conosco, acha?

Quando ela percebeu que ele estava, na verdade, falando sério, ficou assustada.

– Não sei, Tulipa, fique bem aqui. Vou verificar.

– Não! Não me deixe aqui sozinha! Não quero ser comida pelo que quer que esteja perambulando pelas redondezas!

O príncipe estava ficando muito impaciente.

– Não vai acontecer nada se ficar aqui como eu lhe disse. Agora fique quieta e, por favor, solte minha mão!

Ele arrancou a mão dela antes de ela acatar sua ordem, e ficou ali congelada de medo enquanto ele saiu para procurar pela fera selvagem.

CHÁ DA MANHÃ

Ela permaneceu sentada e apavorada por algum tempo até o príncipe voltar para ela.

– Ah, minha nossa! – ela arfou.

Ele fora atacado e tinha um arranhão no braço. O que quer que o tivesse atacado havia passado pela sua jaqueta e deixado cicatrizes sangrentas em seu braço.

– Meu amor, você está ferido!

O príncipe parecia arrasado e bravo.

– Brilhante de sua parte ter concluído isso, minha querida – ele murmurou.

– O que aconteceu? O que o atacou? – ela disse, tentando não deixar seu mau humor afetá-la.

– Claramente algum tipo de fera selvagem com garras afiadas.

Ela sabia que era melhor não perguntar mais nada que o provocasse e o deixasse mais amargo.

– Vamos voltar para o castelo para que possamos cuidar de você.

Eles voltaram em silêncio. Ela sentiu que sua atitude em relação a ela havia mudado completamente de novo. Tentou parar de pensar no assunto, mas não conseguiu evitar o sentimento de que a raiva do príncipe estava direcionada para ela e não para a fera que o atacara.

Ela queria chorar, mas sabia que isso só o deixaria mais bravo, então andou de volta ao castelo sem dizer nada, esperando que o humor do príncipe melhorasse.

CAPÍTULO XII

O MISTÉRIO DOS EMPREGADOS

Cogsworth não os recebeu na porta como normalmente fazia; em vez disso, Lumière o fez.

– Onde está Cogsworth? Preciso que ele chame o médico! – o príncipe falou, rude.

Lumière parecia preocupado, mas não só com seu mestre. Parecia que mais alguma coisa estava acontecendo, algo que ele temia contar ao príncipe.

– É claro, meu senhor. Vou cuidar disso.

Quando ele estava se afastando para ordenar que um dos mensageiros enviasse um recado ao médico, o príncipe disse:

– E mande Cogsworth me encontrar!

Lumière parou de repente e precisou de alguns minutos para se virar e responder:

— Bom, senhor, veja bem, não sabemos onde Cogsworth está.

— Como assim não sabem onde ele está? Ele sempre está aqui! Vá, encontre-o logo e diga que preciso dele! Deixe pra lá! Eu mesmo vou chamá-lo.

Ele foi para a beirada da janela puxar a corda que convocava Cogsworth.

— Com licença, senhor, mas ele não está lá. Procuramos em toda a propriedade e não conseguimos encontrá-lo. Todos estamos muito preocupados.

O príncipe estava ficando fora de si com tanta raiva.

— Isso não faz sentido! Onde é que esse homem se meteu? Não faz parte de sua personalidade fugir de suas funções!

— Eu sei, senhor, é por isso que todos estamos preocupados. A Senhora Potts está inundada em lágrimas lá embaixo! Ela disse para Chip procurar por ele em todo lugar. Todos estão procurando, senhor. Você se lembra da última vez que o viu?

Ele não conseguia se lembrar.

— Pensando bem, eu não o vi o dia todo.

Tulipa interrompeu:

— Isso é muito inconveniente, mas acho que precisamos chamar o médico, não acha? Estou preocupada com seu braço, meu amor.

O MISTÉRIO DOS EMPREGADOS

Lumière foi sacudido para fora do pânico quanto ao seu amigo Cogsworth e mudou o foco para seu mestre.

– Sim, senhor, melhor cuidarmos disso primeiro, e depois vamos planejar outra busca por Cogsworth.

Capítulo XIII

O CASCA-GROSSA

A casa toda havia entrado em pânico. Cogsworth não estava em nenhum lugar, e agora parecia que a Senhora Potts também estava desaparecida.

— Mas, Babá, isso não faz sentido! Você estava tomando chá com ela. Para onde ela poderia ter ido?

Os olhos da Babá estavam vermelhos de tanto chorar.

— Eu não sei! Fui esquentar mais água para nosso chá. Como a Senhora Potts está sempre agitada e se movimentando, eu queria que ela se sentasse, para variar. Você sabe que aquela mulher não consegue apenas sentar e aproveitar uma boa xícara de chá sem fazer isso ou aquilo para uma pessoa ou outra. Mas eu ia saber que, quando voltasse com a água, ela teria desaparecido? E a coisa mais estranha era que havia um pequeno bule bem arredondado na mesa!

A FERA EM MIM

Tulipa estava confusa.

– Babá, vocês estavam tomando chá. Não entendo por que um bule na mesa seria tão estranho.

A Babá explicou:

– Ah, mas eu estava com o bule que estávamos usando, não é? Para pegar água. Então por que havia outro ali na mesa?

– Acho que isso é estranho mesmo.

O rosto da Babá se enrugou.

– É mais do que estranho, menina! Está acontecendo alguma coisa nesta casa! Alguma coisa sinistra! Senti isso a primeira vez que viemos e agora está ficando mais intenso!

Tulipa não ia deixar a Babá influenciá-la com histórias supersticiosas. Ela o fizera muito no passado, e não ia se permitir ser levada por isso de novo. Não agora.

– Ah, eu sei o que está pensando, menina! Você acha que a Babá é uma mulher velha e tola, mas eu estou neste mundo há muito mais tempo do que a maioria das pessoas e já vi coisas com que a maioria delas apenas sonha.

Tulipa virou os olhos, mas a Babá continuou.

– Estou te dizendo, acho que este lugar está amaldiçoado.

Ambas as senhoritas pararam de falar quando ouviram Lumière limpando a garganta à porta do cômodo.

– Só queria que soubessem que o médico foi embora e o príncipe está descansando confortavelmente.

O casca-grossa

— Ele ficará bem? — Tulipa perguntou, preocupada.

— Ah, sim, ficará bem. Está se recuperando e está exausto, é só isso. Tenho certeza de que desejará vê-la amanhã — ele disse sorrindo, em uma tentativa de melhorar o clima.

— Amanhã? Hoje não? — Tulipa se perguntou, mas sorriu para Lumière. Ela não conseguiu evitar; havia alguma coisa acontecendo com ele.

— Não precisa de muita cerimônia para o jantar esta noite — ela disse. — Pode apenas nos trazer alguma coisa em uma bandeja. Podemos comer em nossos aposentos ou, talvez, próximas à lareira na sala de estar. Tenho certeza de que todos estão enlouquecidos lá embaixo com o desaparecimento da Senhora Potts e de Cogsworth. Não quero que se preocupem conosco.

A Babá pareceu satisfeita com o trabalho que tinha feito de criar Tulipa; ela parecia não apenas uma rainha de verdade, mas uma rainha com muita compaixão. Mas o homenzinho francês galanteador não suportaria servir os convidados em bandejas na sala de estar ou em qualquer outro cômodo que não fosse o salão de jantar.

— Ah, não! Isso não acontecerá! Se a Senhora Potts estivesse aqui, ela iria enlouquecer só de pensar nas senhoritas comendo em bandejas! E, para o cardápio desta noite, não há nada a temer, planejamos algo especial para as senhoritas! — Ele deu outro sorriso mágico e disse:

— O sino para se vestir tocará às seis da tarde, e o do jantar será às oito. Até mais tarde!

Então ele sumiu, como se estivesse com pressa de descer para arrumar o jantar e supervisionar a busca pelos funcionários desaparecidos. Tulipa olhou para sua Babá de forma tímida.

— Não acha que os dois sumiram juntos? Cogsworth e a Senhora Potts? Não acha que estão apaixonados?

A Babá riu.

— Queria que fosse simples assim, minha garota, mas não. Nenhum me deu a mínima sensação de que havia alguma coisa entre eles. Não, temo que algo horrível tenha acontecido com eles.

Tulipa virou os olhos de novo.

— Pare com todas essas conversas sobre maldição, Babá! Não vou cair nessa!

Mais tarde naquela noite, no salão de jantar principal, não era possível imaginar que dois dos empregados mais importantes estavam desaparecidos. O cômodo estava adorável, decorado com algumas das flores da estufa que estavam na surpresa de Tulipa mais cedo, e as velas estavam acesas em candelabros de cristal, emitindo uma luz sublime. As duas damas estavam comendo sua sobremesa quando o príncipe surgiu no cômodo parecendo um pouco louco.

— Estou feliz que as duas estejam aproveitando a refeição enquanto toda a casa está desmoronando em volta de vocês! — Ele parecia terrivelmente acabado, como se tivesse envelhecido muitos anos devido ao machucado.

A Babá e Tulipa só o encararam, completamente perdidas.

— Não tem nada para dizer em sua defesa, Tulipa? Sentada aí se enchendo enquanto minhas companhias da infância estão sofrendo por um terrível destino?

A Babá falou primeiro.

— Olhe aqui! Não vou deixar você falar com ela assim. Ela estava morrendo de preocupação com eles e com você. Nós duas estamos!

O rosto dele se transformou em algo desumano, misterioso e cruel. A Babá temia que o príncipe estivesse ficando doido.

— Não me olhe assim, velha! Não vou tolerar que me dê olhares diabólicos! E você...! — Ele voltou sua raiva para Tulipa. — Sua meretriz mentirosa, brincando com meus sentimentos, fingindo que me ama quando claramente não o faz!

Tulipa arfou e caiu em lágrimas imediatamente, quase incapaz de falar.

— Isso não é verdade! Eu amo mesmo você!

A FERA EM MIM

O rosto do príncipe tornou-se sombrio, seus olhos ficaram arregalados, escuros e doentes, e sua raiva crescia a cada palavra.

— Se me amasse, realmente me amasse, nada disso estaria acontecendo! A Senhora Potts e Cogsworth estariam aqui! Os animais no labirinto não teriam me atacado, e eu não estaria assim! Olhe para mim! A cada dia fico mais feio, mais acabado.

A Babá colocou seu braço em volta de Tulipa, que estava chorando tanto que mal conseguia respirar, sem conseguir falar nada em sua defesa. Mesmo se conseguisse, ele não a teria ouvido, sua raiva estava ficando totalmente fora de controle.

— Não suporto olhar para você! Quero-a fora do meu castelo agora! Não se incomode em pegar suas coisas!

Ele avançou nas mulheres, agarrou Tulipa pelos cabelos e a puxou em direção à porta, derrubando a Babá no processo.

— Não a quero no castelo nem mais um segundo, você entendeu? Você me enoja!

Tulipa estava chorando mais intensamente do que nunca, gritando para o príncipe soltá-la para que pudesse ajudar a Babá, quando Gaston entrou no cômodo.

— O que está acontecendo aqui, homem?

Ele arrancou Tulipa das mãos do príncipe e ajudou a Babá a se levantar.

O casca-grossa

– O que está fazendo, senhor? Enlouqueceu? – Então, virando-se para as senhoritas, ele disse: – Vão para o quarto, senhoritas, eu vou cuidar disso.

As damas esperaram no quarto com suas malas arrumadas com pressa. Não faziam ideia do que pensar daquela situação. Claramente, o príncipe estava sofrendo de algum tipo de febre devido aos seus ferimentos e à sua exaustão. Elas estavam sentadas em silêncio quando Lumière entrou no quarto. Seu rosto parecia aflito.

– Princesa, arrumei suas coisas. Se a senhorita e a Babá puderem me seguir, vou escoltá-las até a carruagem. – Ele pôde ver as numerosas perguntas estampadas no rosto de Tulipa. – Achamos que é melhor você ir para casa e ficar com sua mãe e seu pai. O príncipe vai escrever quando estiver se sentindo mais... como ele mesmo de novo.

A Babá falou:

– Sim, acho que é melhor. Vamos agora, criança, e tudo vai ficar bem. Eu juro.

E as senhoritas andaram pelo castelo e pelo jardim para encontrar a carruagem com tanta dignidade e compostura quanto conseguiram, devido ao que tiveram que passar.

Capítulo XIV

A DECADÊNCIA

A princesa nunca mais teve notícias do príncipe. O príncipe parou de falar sobre feitiços e maldições, pois viu como olhavam para ele quando o fazia. Eles pensavam que tivesse enlouquecido. E não podia culpá-los, porque, com frequência, pensava isso de si mesmo. Quase desejava estar louco. Havia decidido ficar enclausurado desde que expulsara Tulipa do castelo. Nunca mais saiu de seu quarto, não permitia que os funcionários abrissem as cortinas e acendia apenas uma vela à noite, dizendo que o médico tinha sugerido isso para sua recuperação. O único visitante permitido era Gaston.

— Tem certeza de que é assim que quer lidar com isso, Príncipe?

O príncipe se esforçava ao máximo para não ceder aos acessos de raiva que pareciam tomar conta dele tão rapidamente nos últimos dias.

A FERA EM MIM

— Tenho certeza, meu amigo. É o único jeito. Você irá até o castelo Morningstar para romper o noivado oficialmente.

— E o acordo de casamento? O rei será destituído sem o acordo que prometeu.

O príncipe sorriu.

— Tenho certeza de que vai. Mas é isso que merece por jogar sua filha idiota em cima de mim! Ela nunca me amou, Gaston! Nunca! Era tudo mentira! Tudo um meio de conseguir meu dinheiro, para ela e para o reino de seu pai!

Gaston viu que ele estava ficando alterado. Não perdeu tempo discutindo que ele pensava que Tulipa realmente amava o príncipe. Tentou convencê-lo disso nas primeiras semanas depois do rompimento, porém nada que Gaston dizia o convencia. Alguma coisa devia ter acontecido no labirinto aquele dia para fazer o príncipe acreditar que Tulipa não o amava, e não havia nada que se pudesse dizer para convencê-lo do contrário. O que quer que fosse, Gaston tinha que confiar que seu amigo tinha razão. Tulipa poderia tê-lo feito de bobo todo esse tempo. Francamente, Gaston não achava que ela era esperta o suficiente para armar um golpe tão inteligente; não achava que ela fosse uma mercenária. Pensara que tivesse escolhido tão sabiamente quando a escolheu, e agora se sentia culpado pelo problema que causara.

A DECADÊNCIA

– Vou partir hoje mesmo, meu bom amigo. Descanse.

O príncipe deu um sorriso misterioso que distorcia sua face à pouca luz da vela, provocando sombras perversas que quase deixavam Gaston com medo de seu amigo.

Capítulo XV

A CAÇA

O príncipe não saiu de suas acomodações por meses; ficou aprisionado por seu medo e sua raiva, que se acumulavam a cada dia. O único funcionário que via agora era Lumière, e ele nunca falava sobre as questões da casa quando o príncipe o chamava. Ficava segurando um pequeno candelabro dourado, certificando-se de não iluminar o rosto de seu mestre, ou o seu mesmo, por medo de transparecer o terror que tentava esconder quando olhava para o príncipe.

O príncipe estava pavoroso, pálido e acabado. Seus olhos pareciam duas fendas pretas e seus traços estavam se tornando mais de animal do que de humano. Lumière não tinha coragem de contar ao príncipe que todo mundo havia se transformado depois que ele partira o coração de Tulipa. Ficou claro para Lumière que o príncipe não via os funcionários como eles se viam. Independente do que ele visse, sabia que era aterrorizante. Ele continuava a falar sobre estátuas se movendo no castelo, olhando em sua direção quando ele não estava atento.

Lumière e os outros não viam nada disso, e nenhuma pessoa que trabalhava lá desejava mal ao príncipe. Lumière sabia que era apenas uma questão de tempo antes de ele também ser transformado em um objeto da casa como os outros, e então seu mestre ficaria sozinho com os medos que foram conjurados em sua mente.

Lumière queria que houvesse outra maneira; queria que o príncipe não tivesse escolhido esse caminho, arrastando toda a casa com ele para a escuridão. Sentia muita falta do jovem príncipe que ele fora, antes de a crueldade tomá-lo e assombrar seu coração.

A Senhora Potts os lembrava de histórias do jovem promissor que fora, e Cogsworth ainda tinha fé de que o coração do príncipe iria mudar e ele quebraria o feitiço; todos eles acreditavam nisso. Enquanto isso, era função de Lumière cuidar dele até quando pudesse.

– Por que não sai um pouco, alteza? O senhor está se acabando dentro de casa. Precisa ver o sol e respirar ar puro!

O príncipe abominava a ideia de alguém vê-lo assim. Depois do fracasso com a família de Tulipa, sua transformação evoluiu mais rápido do que seus piores medos.

Ele parecia um monstro.

Como uma fera.

Claramente, não havia nada que pudesse fazer para quebrar o feitiço; as irmãs haviam mentido. Nunca tiveram intenção de que ele quebrasse o feitiço; todos seus esforços com Tulipa haviam sido em vão.

Lumière ainda estava lá parado, esperando por sua resposta. O príncipe só se lembrou disso quando ouviu o homem limpar a garganta.

— Sim, homem, eu te ouvi! Vou sair, mas não antes de anoitecer! E não quero ninguém perambulando pelos corredores para me ver, você entendeu? Não quero ver uma única alma! Se alguém estiver por aí, terá que desviar o olhar de mim!

Lumière assentiu em compreensão.

— Devo arrumar o jantar no salão de jantar principal, senhor? Há um tempo que não temos oportunidade de servir Vossa Majestade à mesa.

O príncipe se sentiu mal só de pensar nisso.

— Vamos ver! Agora vá! Quero ficar sozinho!

Lumière saiu do quarto, parando no corredor para falar com alguém. O príncipe saiu da cama pela primeira vez em semanas. Seu corpo estava dolorido e endurecido

– tão endurecido que achou surpreendentemente difícil chegar até a porta. Porém, a voz parecia ser de Cogsworth, e ele estava desesperado para vê-lo. Quando abriu a porta, esperava ver os dois conversando, mas só viu Lumière.

– O que está havendo? Ouvi você falando com alguém!

Lumière se virou com medo.

– Comigo mesmo, enquanto estava acertando o relógio, senhor. Sinto muito tê-lo perturbado!

O príncipe estava perdendo o controle de novo, perdendo-se em uma raiva perigosa.

– Pare de lenga-lenga! Eu ouvi a voz de Cogsworth!

Lumière pareceu triste ao ouvir o nome dele, mas o príncipe insistiu.

– Você quer dizer que não estava falando com ele? Você nem o viu?

Lumière, ainda segurando o castiçal de bronze, respondeu com calma:

– Posso dizer com toda sinceridade, senhor, que há um tempo não vejo o querido Cogsworth de verdade.

Capítulo XVI

O sol se põe

O crepúsculo era seu horário favorito, o período em que tudo parecia perfeito e tudo era possível, principalmente na primavera. Ao escurecer, o céu estava lilás, fazendo a lua ficar mais impressionante.

O príncipe realmente se sentiu melhor do lado de fora, e Lumière havia cumprido o que prometera. O príncipe não vira nem uma única pessoa enquanto seguia para fora do castelo, embora não conseguisse evitar temer que alguém aparecesse diante dele nesse momento. Resolveu que caminhar na floresta seria o melhor. Assim que chegou lá, se sentiu mais confortável. Estava mais escuro agora, e as copas das árvores cobriam a luz quase completamente, exceto pelas fendas que revelavam uma noite estrelada. Ele sempre enxergara bem no escuro, mas, como estivera recluso por muito tempo, sua visão estava ainda mais aguçada na escuridão. Ele se sentia um pouco bruto, na verdade, como uma criatura perambulando pela floresta.

Perambulando.

Sim, era exatamente o que estava fazendo, e gostava disso. Quase se sentiu mais em casa do que em suas acomodações. Às vezes ele sentia como se não conseguisse respirar em seu quarto, apenas sentado ali, esperando aquelas irmãs o atacarem como um grupo de górgonas. No entanto, na floresta tudo parecia correto, perfeito, de alguma forma, como seu lar. Apesar de ele não ter tanta certeza, também achava que era uma isca criada pelas bruxas. Se elas tivessem encantado a floresta para fazê-lo entrar lá, fazê-lo se sentir mais confortável, prendê-lo ali, iria desenvolver mais sua brutalidade.

Rapidamente, ele se escondeu atrás de um tronco de árvore coberto de musgo para ver o que vinha em sua direção. Era Gaston com seu rifle de caça, mas antes de o príncipe conseguir reagir, vieram vários tiros em sua direção, penetrando no tronco da árvore, tirando lascas da madeira e provocando um ritmo maluco em seu coração que o fez pensar que ia matá-lo.

Outra coisa além do medo estava crescendo dentro dele, alguma coisa terrível e negra que ocultava, e até o fazia esquecer, do afeto por seu amigo. De fato, por um instante, a fera não conseguiu se lembrar de Gaston. Havia uma lembrança, mas nada de que ele conseguisse se recordar exatamente. Então ele se lembrou.

Sentiu-se diferente, como se estivesse escorregando para o oceano escuro e profundo; sentiu que estava se afogando, perdendo-se completamente enquanto outra

O SOL SE PÕE

coisa tomava conta dele, algo esquisito, mas que parecia familiar e confortável ao mesmo tempo.

Tudo ao seu redor se estreitou, e a única coisa na qual ele conseguia focar era Gaston. Nada mais existia; nada mais importava, a não ser o som do sangue correndo no coração pulsante de Gaston. O som o envolveu, acompanhando o ritmo do seu próprio coração. Ele queria o sangue de Gaston. Nem percebeu que correu, atingiu Gaston e o derrubou no chão.

Sua própria força o assustava; era tão fácil derrubar um homem, imobilizá-lo e deixá-lo sem defesa. Ele não queria outra coisa a não ser provar seu sangue quente e salgado. Mas então olhou nos olhos de Gaston e viu medo. E, mais uma vez, reconheceu seu amigo.

Gaston estava aterrorizado. O príncipe não o via com tanto medo desde que eram crianças.

Ele estava prestes a tirar a vida de seu melhor amigo. Um homem que o salvara quando eram crianças. Agarrou a arma de Gaston em suas mãos trêmulas e a lançou para longe, no meio da floresta. Correu o mais rápido que pôde, deixando Gaston confuso, sozinho e se perguntando que tipo de animal abominável o atacara. Ele só podia torcer para que Gaston não percebesse que era seu velho amigo, o príncipe.

Capítulo XVII

O príncipe em exílio

O príncipe não saiu de seu quarto depois daquela noite na floresta. Ouviu o tumulto no andar de baixo na noite em que Gaston invadiu o castelo, pedindo ajuda com seus ferimentos. O príncipe queria ajudar seu amigo, mas sabia que Lumière lidaria muito bem com tudo. O médico foi chamado, as feridas de Gaston foram remediadas e desculpas foram dadas pela ausência do príncipe.

— Como você explicou o estado do castelo? — o príncipe perguntou a Lumière depois, pensando em como as coisas devem ter impressionado Gaston.

Mas não devem ter importado para Gaston, que, como o príncipe, parecia estar se esquecendo da vida anterior do príncipe. Na verdade, até a corte estava se esquecendo de Gaston, do príncipe e, em alguns casos, de suas próprias vidas antes de o feitiço transformar tudo.

A FERA EM MIM

– Um homem veio ao castelo. Um estranho, mas muito familiar – Lumière dissera, referindo-se a Gaston. – Foi atacado na floresta aqui por perto enquanto caçava. E se desculpou por invadir a corte real, mas precisava de ajuda. Estava seriamente ferido.

– Esse homem – disse o príncipe – fazia alguma ideia do que o atacara na floresta?

– Uma fera, senhor, foi o que ele disse, algum tipo de animal. Mas do tipo que ninguém nunca viu.

Animal.

Fera.

Não foram essas palavras que as bruxas usaram? Essas mesmas palavras? Aquelas mulheres provavelmente estavam dançando de alegria, cantando e batendo os pés naquelas botas idiotas.

– Senhor – Lumière murmurou –, posso sugerir que o senhor tenha o castelo desocupado e seja protegido por um guarda?

– Nós temos um guarda? – perguntou o príncipe, novamente se esforçando para se lembrar.

– Sim, senhor. Não da forma tradicional, mas, sim. Temos tudo. Todos estão aqui, senhor, Vossa Alteza só não os vê. Seu desejo ainda será atendido.

O príncipe em exílio

Ele parecia perdido em pensamento e confusão por um instante enquanto o príncipe esperava que ele continuasse.

E não sei, senhor, por quanto tempo terá minha companhia. Não sei no que vou me transformar quando a maldição surtir efeito. Mas ainda estarei aqui como o restante, tenho certeza disso. Todos faremos nosso melhor para atendê-lo quando pudermos. Para informá-lo de que não está sozinho.

O príncipe não sabia o que dizer.

— Só torcemos para que o senhor quebre o feitiço.

Alguma coisa deu um estalo em sua mente; seus olhos estavam arregalados e ele estava à beira da loucura. *Quebrar o feitiço! Ele torce para que eu quebre o feitiço!*

— Como se houvesse um momento em que eu pense em alguma coisa além de quebrar o maldito feitiço! Saia daqui antes que eu te ataque!

Lumière se afastou a cada palavra maldosa.

— Sinto muito, senhor! Eu não...

— Saia agora! — E essa foi a última vez que o príncipe, agora a Fera, vira Lumière.

Capítulo XVIII

A espiá das três irmãs

No topo da colina gramada, havia uma mansão verde-escura feita de biscoito de gengibre decorada com cortinas douradas e pretas. Seu teto apontava para o céu, sua estrutura lembrava um grande chapéu de bruxa. Agrupadas no centro da casa estavam as três irmãs, tomando seu chá da manhã. Martha estava trazendo uma bandeja de bolinhos de mirtilo quentes quando ouviu Lucinda gritar com alegria.

– Ela chegou! Ela chegou!

Todas as irmãs correram para a janela, tropeçando umas nas outras para ver quem havia chegado. Ela subia o caminho empoeirado. Seus lindos olhos dourados, delineados em preto, brilhavam com pequenas partículas verdes na luz da manhã conforme ela andava até a porta da frente. Martha estava lá para recebê-la.

– Pflanze, olá! Ruby, rápido, dê a ela um pires de leite!

Pflanze entrou tranquila entre os gritos estridentes de felicidade que a rodeavam. Ela se sentou à mesa da cozinha em seu lugar de costume, onde seu pires de leite já estava esperando por ela.

Lucinda falou primeiro.

– Nós vimos tudo, Pflanze. – Ela estava tremendo de prazer, estava muito animada!

– Sim, tudo! Vimos tudo! – disse Ruby. – Você foi muito bem, nossa amada! – Elas a rodearam, tagarelando como passarinhos, enquanto ela bebia seu leite. Os saltos de suas botas faziam barulho no chão de madeira conforme elogiavam Pflanze.

Circe chegou no cômodo com a visão embaçada e viu por que as irmãs estavam tão animadas logo cedo.

– Ah, entendi, Pflanze finalmente voltou para casa! – Ela acariciou Pflanze na cabeça quando terminou seu leite.

– E o que estava fazendo, menina linda?

As irmãs mais velhas de Circe olharam umas para as outras com medo, o que só confirmou que elas pareciam culpadas. Era raro Circe deixá-las escapar com suas pequenas enganações. Elas achavam muito difícil guardar segredo de sua irmãzinha. Frequentemente estavam fazendo alguma maldade, de qualquer forma, então não foi novidade quando ela perguntou o que estavam fazendo. Era quase como se elas gostassem de ser flagradas.

– Ou talvez eu deveria perguntar para as senhoritas o que estão fazendo?

Lucinda fez a cara mais inocente que conseguiu, mas não enganou Circe.

– Ah, não me venha com essa, Lucinda! Eu sei quando estão armando alguma coisa. Agora, desembuchem!

Pflanze olhou para as bruxas, para as quatro, piscou devagar, agradecendo pelo leite, ajeitou as patas e pulou da mesa. Ela não estava a fim de tal conversa. Acomodou--se diante da lareira enquanto as irmãs discutiam.

– Então? – Circe estava com as mãos na cintura, esperando que suas irmãs mais velhas lhe respondessem.

– Pflanze estivera com o Príncipe, de olho nele para nós, só isso.

Circe virou os olhos.

– Eu disse para vocês não se intrometerem. Disse para deixá-lo em paz!

Martha quase quebrou o bule em forma de protesto.

– Não nos intrometemos, eu juro! Só estávamos observando.

Circe teve que perguntar:

– E o que vocês viram? – Mas ela sabia que havia cometido um erro no momento em que perguntara. As palavras caíram sobre ela como uma tempestade; viu-se no meio da agitação de suas histórias fragmentadas que estavam muito felizes em compartilhar.

A FERA EM MIM

— Ah, nós vimos todos os acontecimentos!

— Sórdidos e terríveis eventos!

— Pior do que pensamos de imediato!

— Assassinato!

— Quanta ruína!

— Ele fez uma garota se jogar de uma colina!

— Ela tirou a própria vida!

— Monstro feio, mau e homicida!

— Corações partidos, romances perdidos!

— Ah, é para rimar agora? Que legal!

Circe pôs um fim naquilo antes que a rima continuasse.

— Não, não vão! Sem rimar!

Como todo mundo, Circe achava difícil acompanhar suas irmãs quando estavam animadas. Poderiam pensar que quase vinte anos de convivência tornaria isso fácil, porém, conforme os anos passavam, essa mania delas só fazia a cabeça de Circe ficar mais confusa.

— Irmãs, por favor, só uma falando, e, por gentileza, contem devagar e com frases completas.

As três bruxas ficaram em silêncio.

— Sei que conseguem falar normalmente, já ouvi fazerem isso! Por favor.

Ruby falou.

— Ele se transformou na Fera, como pensamos que iria. Quase matou Gaston enquanto andava pela floresta.

140

Circe pareceu decepcionada.

— Mas ele não o matou, então ainda há esperança?

Os lábios de Lucinda, já apertados, franziram-se ainda mais. Podia-se ver quanto ela estava brava pelo tanto que seus lábios se franziam.

— Você ainda o ama, não é?

Circe se afastou das irmãs e se sentou na cadeira próximo à lareira para ficar perto de Pflanze.

— Queria que pudesse falar, querida Pflanze. Queria que pudesse me contar o que aconteceu para eu não ter que sofrer com essas minhas irmãs malucas!

Martha jogou sua xícara de chá na parede, frustrada.

— Como ousa?

Ruby tinha lágrimas escorrendo dos olhos.

— Nunca pensei que ouviria essas palavras de você, irmãzinha, não depois de tudo o que fizemos por você!

Circe acabou com aquele drama de uma vez.

— Parem com isso! Todas vocês! Parem! Desculpem. Não quis dizer isso, é só que, às vezes, vocês me deixam muito distraída! É claro que não estou apaixonada por ele, só esperava que tivesse aprendido a lição. Que mudasse suas atitudes e tivesse uma vida melhor!

Lucinda sorriu para sua irmãzinha.

— É claro, querida, você sempre se importou com as pessoas, sabemos disso. Às vezes esquecemos que não somos parecidas. Nos importamos apenas com você. Amamos você por sua compaixão, só não compartilhamos da mesma opinião.

Circe não entendia suas irmãs. Viviam em um mundo que só tinha lógica para elas mesmas, com seu próprio código moral distorcido. Muitas vezes, o que falavam fazia sentido para ela intelectualmente; outras vezes suas palavras simplesmente a confundiam. Isso a deixava grata por ter compaixão. Sem esse sentimento, sentia que seria igual às suas irmãs mais velhas.

— É difícil sentir pena daqueles dispostos a viver em um desastre. Eles são suas próprias ruínas, minha querida. Fazem isso consigo mesmos. Não merecem sua misericórdia.

Circe suspirou, porque sabia que havia lógica no argumento da irmã; só não havia sentimento. Elas se sentaram para tomar chá, conversando sobre tudo que o príncipe fizera desde a última vez que o viram, desta vez, com mais tranquilidade.

— Ele pensou que pudesse quebrar o feitiço com a pobre Tulipa, e ela realmente o amava, o adorava! Mas ele a culpou quando seus beijos não quebraram o feitiço! É claro que ele não a amava. Não de verdade. Não era amor verdadeiro. Ela o amava de verdade! Mas o feitiço diz que ambos devem dar e receber! Ele pensou que sua versão egoísta de amor nos enganaria, e partiu o coração dela ao fazer isso!

Circe se sentiu horrível pelo que acontecera com a princesa Tulipa e jurou a si mesma que faria as coisas darem certo para ela e sua família. Lucinda viu na expressão de Circe que se sentia culpada.

– O Príncipe fez isso com ela, Circe, não você!

Circe suspirou e disse:

– Eu sei, mas ele a destruiu e arruinou sua família tentando quebrar o feitiço! Meu feitiço!

Martha sorriu para a irmãzinha.

– A velha rainha secou toda a terra e deixou um rastro de desastre e morte quando acordou. Devemos nos culpar?

Ruby riu.

– Ah, ela deve ter odiado muito ser chamada de velha rainha! Mas foi isso que ela se tornou tantos anos após sua morte: o mito e a lenda da velha rainha! Porém sabemos a verdade! Sabemos que ela existiu! A rainha que se destruiu na mágoa e na vaidade.

Lucinda também riu.

– Ah, ela teria odiado esse nome mesmo! Teria lançado feitiços e ameaçado matar todo mundo que se referia a ela desse jeito! Mas está morta agora! Morta, morta, morta! Caiu do abismo!

Circe se lembrou de Tulipa.

– Então foi ela, Tulipa, a que se matou? Quem se jogou do precipício? – Circe perguntou.

A FERA EM MIM

– Ah, acho que ela o fez pela perda da filha e de si mesma. Afogou-se na própria miséria e arrependimento, no fim. Quase fiquei com pena dela.

Circe se perguntou quantas histórias dessas ela não sabia. Era óbvio que não estavam falando de Tulipa, mas de outra rainha que havia se jogado de um abismo.

– Não, estou falando de Tulipa. Suas palavras me fizeram acreditar que ela havia se jogado do precipício na propriedade de seu pai.

Lucinda respondeu:

– Ela se jogou, minha querida, mas foi salva por nossa amiga Úrsula.

Circe olhou para suas irmãs.

– E o que a bruxa do mar exigiu em troca?

Ruby parecia magoada.

– Você subestima muito as amizades que temos.

Lucinda adicionou:

– E como poderíamos saber o que Úrsula exigiu dela? Não somos cúmplices de tudo o que acontece em cada reino!

Circe olhou para a irmã como se soubesse muito bem que era mentira, e a irmã cedeu, como geralmente fazia com Circe. Ela era a fraqueza delas.

– Não quis nada dela de que realmente precisasse.

Circe não pareceu convencida.

– Quero que acertem tudo com Úrsula! Deem a ela alguma coisa em troca pelo que quer que ela tenha pego de Tulipa! E vou resolver os assuntos do reino!

Lucinda pareceu profundamente infeliz.

– Se você faz questão.

Circe semicerrou os olhos.

– Faço! E, Irmãs, vamos nos certificar de que a beleza de Tulipa seja devolvida a ela sem demora!

Ruby ficou surpresa que sua irmãzinha tivesse adivinhado o que a bruxa do mar pegara de Tulipa.

Circe sorriu, presunçosa.

– Não fique surpresa! A beleza de Úrsula foi arrancada dela há anos, então seria razoável que tentasse recuperá-la de forma desonesta! Acho terrível o que aconteceu com ela, mas não justifica suas ações!

Lucinda falou:

– Não? Alguém roubou sua beleza e fugiu com sua verdadeira voz. São muitas perdas para contar. Foi tirada muita coisa dela e espalhada pelo vasto oceano para que ela nunca mais encontre... e pelo quê? Uma ninharia!

Circe virou os olhos para as irmãs de novo.

– As atitudes de Úrsula não foram uma ninharia!

Lucinda continuou:

— Apesar de nossas opiniões divergirem, vou fazer o que está pedindo porque te amo demais para vê-la sofrer e se culpar pela infelicidade de Tulipa.

Martha parecia em pânico.

— Mas o que vamos dar a ela? Nada muito precioso, nada do cofre!

Ruby também estava em pânico de pensar em dar alguma coisa a Úrsula.

— Circe nos fará dar nossos tesouros! Primeiro foi o espelho encantado, agora, o que será?

Lucinda, que parecia estranhamente calma, tranquilizou Martha.

— Não se preocupe, não vamos dar nada muito precioso. Eu juro. — Então olhou para Circe. — Presumo que vá partir para o castelo Morningstar agora mesmo?

Circe havia decidido que se aventuraria para as redondezas em questão naquele momento.

— Sim, eu vou.

Lucinda foi até a despensa e empurrou algumas coisas até encontrar o que estava procurando: uma mochilinha de veludo.

— Quando chegar lá, vá para o abismo e dê isso a Úrsula. Ela está esperando por você. — E complementou: — A beleza de Tulipa será devolvida.

Circe sorriu, transformando sua aparência descabelada por ter acabado de acordar em uma muito mais apresentável para a viagem até o reino Morningstar.

— Vou indo, então. Não se metam em encrencas enquanto eu estiver fora. Pode demorar um tempo até eu retornar.

Capítulo XIX

Os lobos na floresta

A Fera acordou no chão de um quarto que raramente visitava. Estava escuro, com exceção do brilho da rosa encantada que as irmãs lhe deram na noite da maldição, muito tempo atrás; sua luz estava afetada pela cúpula de vidro que a encobria, e havia poucas pétalas. Sua raiva e ansiedade pareciam ter sido esquecidas depois de saber que Bela se recusava a jantar com ele. O turbilhão em sua vida finalmente parara de confundir sua cabeça, e ele conseguiu focar no presente. No presente. Em Bela. Há quanto tempo ela estava lá? Ele podia ouvi-la no corredor. Ela estava na Ala Oeste! Sabia que era proibido! Ele havia lhe dito! Parecia que ela estava conversando com Pflanze conforme elas adentravam na Ala. Por que as mulheres insistiam em falar com gatos como se entendessem o que eles estavam dizendo? Não conseguia compreender! Ele se escondeu atrás de um biombo, esperando para ver se ela entraria no cômodo. E ela entrou. O coração dele acelerou. Ela foi seduzida pela rosa, hipnotizada por sua beleza. Sua curiosidade a fez pegá-la e o pânico da Fera aumentou, levando sua raiva a proporções perigosas. Ele arrancou a cúpula de vidro das mãos dela e a colocou de volta, certificando-se de que a rosa delicada não fora prejudicada. A raiva dele cresceu. Tudo o que ele viu foi a expressão aterrorizada de Bela.

– Este cômodo é proibido! Saia daqui agora!

Ela ficou gaguejando, tentando encontrar palavras para se defender, mas o medo tomou posse de seu corpo trêmulo e ela correu para fora do castelo, em direção à floresta. Estava sozinha e desesperada. Não se importava mais com a promessa que tinha feito de ficar no lugar de seu pai.

Ela queria ir embora, ir para casa. Seu pai entenderia. Juntos, encontrariam um jeito de derrotar a Fera. Recusava-se a ser sua prisioneira mais uma noite. Ela correu tanto para dentro da floresta que não conseguia mais ver o céu; as árvores eram altas e grossas, e tampavam cada feixe de luz que a lua pudesse estar emitindo. Os galhos das árvores pareciam ameaçadores, como se as mãos das bruxas almejassem sua morte, então ela ouviu uivos ao longe. Estava sozinha e com medo.

As três irmãs riram e bateram suas botas com extrema alegria quando viram o que estava acontecendo com Bela

Os lobos na floresta

pelos olhos de Pflanze. A Fera havia afastado qualquer esperança de quebrar o feitiço. Elas cantavam e dançavam, rindo o tempo todo.

– A Fera afastou qualquer possibilidade de quebrar o feitiço!

– A garota vai morrer!

Se Circe estivesse lá, iria querer ajudar a pobre menina, mas suas irmãs mais velhas tinham algo totalmente diferente em mente. Estavam bem satisfeitas consigo mesmas. Pensavam à frente; planejaram manter Circe ocupada com a bruxa do mar. Pediram para Úrsula mantê-la longe o máximo de tempo que conseguisse, pois não queriam que sua irmãzinha atrapalhasse os planos. Circe não adorava a morte como suas irmãs. Ela não aprovaria.

Lucinda pegou uma bolsinha que estava amarrada ao cinto em sua cintura incrivelmente pequena. Dentro da bolsa, havia um pó roxo-escuro, que ela jogou na lareira. Uma fumaça preta terrível subiu do fogo, formando uma cabeça de lobo. Seus olhos de zumbi sombrios brilhavam em uma cor cobre de chamas.

Lucinda falou:

– Mande os lobos para a floresta, arranhe e morda até ela sangrar, mate a bela na floresta, para que ele se arrependa de tudo o que nos fez passar!

Bela gritou de novo, bem consciente de que estava prestes a morrer. Não havia nada que pudesse fazer! Não

A FERA EM MIM

tinha nenhuma arma para se proteger. Procurou alguma coisa, qualquer coisa que pudesse usar.

As irmãs continuaram entoando.

– Mande os lobos para a floresta, arranhe e morda até ela sangrar, mate a bela na floresta, para que ele se arrependa de tudo o que nos fez passar!

Os lobos estavam em cima dela. Ela desejava poder ver seu pai só mais uma vez antes de morrer; não suportava a ideia de ele viver em um mundo sem ela. Ele ficaria perdido.

– Mande os lobos para a floresta, arranhe e morda até ela sangrar, mate a bela na floresta, para que ele se arrependa de tudo o que nos fez passar!

As irmãs estavam em um transe enlouquecido. Lucinda, aprofundando-se ainda mais naquela loucura, mudou o canto:

– Corte sua garganta, faça-a sangrar, coma sua carne, minhas palavras vá executar!

Alguma coisa passou por Bela – outro lobo, ela pensou, mas não, era enorme. Muito grande para ser um lobo. Ela não sabia o que estava acontecendo. Mas as irmãs viram; sabiam o que era.

– Corte sua garganta, faça-a sangrar, coma sua carne, minhas palavras vá executar!

A criatura era incrivelmente grande e feroz, com gigantes garras e dentes terrivelmente afiados. Bela estava em

Os lobos na floresta

pânico total quando o canto horrendo das irmãs ficou mais alto e mais fervente:

— Corte sua garganta, faça-a sangrar, coma sua carne, minhas palavras vá executar!

Bela não queria morrer. Mal tivera chance de viver. Até agora só havia lido sobre as muitas coisas que gostaria de fazer, porém ainda não tivera oportunidade de concretizá-las. Ela apertou os olhos bem fechados, tentando ser corajosa, tentando não se arrepender de suas escolhas.

— Corte sua garganta, faça-a sangrar, coma sua carne, minhas palavras vá executar!

A criatura passou por ela correndo, atacando os lobos, matando todos em um massacre sangrento. Tudo aconteceu tão rápido que Bela mal teve tempo de reagir antes que tudo tivesse acabado. Ela olhou para o lado e viu que estava rodeada de sangue. Sangue, pele e carne. Era horrível. Que tipo de monstro faria isso? Ela queria fugir, mas viu a criatura. Parecia ferida. O monstro que salvara sua vida iria morrer; ele estava machucado e sangrando, e exausto da luta. Ela sentiu pena dele. Algo dentro de Bela lhe dizia para não fugir, dizia que a criatura precisava de sua ajuda.

As irmãs assistiram a tudo em choque, percebendo o erro delas. Nunca deveriam ter mandado aqueles lobos para matar Bela. A Fera a estava perseguindo na floresta porque estava bravo; sua raiva teria se apossado dele e ele a teria matado. Os lobos estavam mortos e espalhados pelo chão da floresta. O sangue preto dos lobos estava gosmento nas patas da criatura. Os lobos iriam uni-los.

O único consolo das bruxas era que Bela tinha visto a Fera como era. Tinha visto a violência da qual era capaz.

– Ela o rejeitará! Enojada pela morte que o rodeia!

No entanto, se algum de nós estivesse lá, perto da lareira, e pudesse ver o olhar na expressão das irmãs, poderia notar que as bruxas temiam o contrário. Por quê? Porque podiam ver o olhar no rosto de Bela. Conseguiam detectar sua compaixão pela Fera. Afinal, ele havia acabado de salvar sua vida. As três irmãs resolveram que precisavam agir.

– É hora de mandar Pflanze encontrar Gaston.

– Ah, sim, Irmã! Tenho certeza de que ele gostaria de saber que sua querida Bela deu uma saidinha!

E Ruby complementou:

– Aposto que sim, e tenho certeza de que, se há alguém que pode destruir a Fera, esse alguém é ele!

Capítulo XX

Bela na biblioteca

Bela não era o tipo de garota que se entediava fácil, mas se viu cansada de ficar presa dentro de casa. Estava muito frio para sair, então sentou-se ociosamente na pequena sala de estudo perto da lareira, perguntando-se quando veria a Fera.

Ela havia sido menos dura com ele desde que a salvara dos lobos, mas não podia se esquecer do motivo pelo qual correra para a floresta e para o perigo: seu mau comportamento. Ela não parava de se lembrar do que acontecera. Os lobos, a floresta, a Fera, o sangue. Tinha quase morrido naquela noite por causa da raiva dele, e por quê? Porque tocou em sua rosa preciosa? Mas sua raiva e seu medo não a impediriam de cuidar das feridas dele, não é? Achou que era o mínimo que podia fazer depois de ele ter salvado sua vida.

A FERA EM MIM

Ah, pare com isso!, ela pensou. Passara tempo demais pensando. Era tudo o que ela fazia.

Pensar.

Analisar.

Refletir.

Ela se perguntou como as mulheres das histórias que amava ler conseguiam suportar isso. Sentar em algum lugar de maneira tão ociosa o dia todo, apenas esperando para ouvir as novidades dos homens. Mas era exatamente o que ela estava fazendo agora, não era? Esperando pela Fera. Não havia nada para ela fazer no castelo, e pensou que enlouqueceria de tanta banalidade. Pelo menos em casa, com seu pai, tinha livros, e podia ajudá-lo com as invenções. Ele precisava dela. Ela precisava dele. Ela sentia falta dele, e sentia falta até das pessoas do vilarejo.

Era verdade: todo mundo no vilarejo pensava que ela era estranha por ler muito, já que não se comportava exatamente como as outras garotas. E daí que ela estava mais interessada em ler sobre princesas do que em ser uma? Era grata por seu pai sempre ter lhe dado liberdade para se expressar como quisesse e para viver a vida do jeito que considerava certo. Ele permitia que ela fosse ela mesma. Não eram muitas as jovens que tinham essa liberdade, e ela estava começando a entender como era rara e bonita a vida que levava até pouco tempo atrás.

Aqui ela era reprimida e solitária.

Bela na biblioteca

A Fera a observava sentada na pequena cadeira vermelha próxima à lareira.

Ela não sabia que ele estava lá. Seu rosto se contorceu ao desaprovar o jeito como ela censurava a si mesma. Provavelmente estava se repreendendo por cuidar das feridas dele, mas ela não sabia a verdade. Como poderia?

Bela não sabia como ele poderia tê-la matado tão facilmente se os lobos não estivessem lá para distraí-lo. Imagine só; imagine se ele a tivesse matado. Que horrível, como era totalmente medonho que pudesse fazer tal coisa. Outro ato terrível adicionado à longa lista – uma lista que, sem dúvida, estava sendo contabilizada por aquelas bruxas. Tinha certeza de que seria a maldade final que levaria seu coração obscuro ainda mais para a decadência, e as bruxas estariam aqui agora para zombar dele. Teria se perdido completamente, como se já não estivesse. Com certeza, havia alguma coisa que restara de si mesmo. Não era um monstro completo, era? Se fosse, não a teria matado? Não teria se importado em quebrar o feitiço. Assim, precisava dela desesperadamente. Ela era sua última chance. Não tinha certeza se merecia essa chance, mas interpretou a chegada de Bela no castelo como um sinal de que deveria tentar.

A FERA EM MIM

Como poderia amá-la? Realmente se apaixonar por alguém como ela? Ela não era nada do que ele procurava em uma garota. Era linda, sim, mas não do jeito que ele geralmente admirava. Nunca daria certo e, mesmo se ele se apaixonasse por ela, como Bela iria correspondê-lo?

Não havia esperança.

Ele era asqueroso.

Via isso agora, pela primeira vez. Via quanto ele se tornara perverso, e sentia que merecia a punição de Circe.

Talvez isso, bem aqui, fosse sua punição: nunca saber como era amar.

Bela olhou para ele e sorriu. Ele não esperava por isso.

– Bela, pode vir comigo?

Ela levantou uma sobrancelha e abriu um sorriso desconfiado.

– Ok.

Eles passaram pelo vestíbulo e por um corredor comprido que ela ainda não tinha visto. Estava vazio, exceto pelo pequeno banco vermelho de veludo e uma carranca grande e, no fim do corredor, havia uma porta em formato de arco. Quando eles chegaram à porta, a Fera disse:

– Bela, quero te mostrar uma coisa. – Começou a abrir a porta, mas parou. Ele estava surpreso por seu nervosismo. – Mas antes, você tem que fechar os olhos.

Ela lhe deu aquele olhar de novo, como se não confiasse nele. *Sinceramente, como podia?*, ela pensou, mas parecia realmente intrigada e um pouco mais confortável em sua companhia, o que dava esperança para ele.

— É surpresa! — ele disse, e ela fechou os olhos. Podia sentir a mão dele passando em frente aos seus olhos para se certificar de que ela não estava espiando. Ambos estavam muito desconfiados. Ele pegou as mãos dela e a levou para o que parecia um espaço amplo. Ela sabia pelo som que seus passos estavam fazendo.

— Posso abrir? — A voz dela ecoou. Ela poderia ter pensado que estavam em uma catedral.

— Não. Não. Espere aqui! — Ele soltou suas mãos.

Ela ouviu um barulho e então sentiu a luz do sol aquecer seu rosto.

— Posso abrir agora? — Ele estava realmente se divertindo com aquilo, dando-lhe esse presente, e se viu sorrindo pela primeira vez em anos.

— Tudo bem, agora! — ele disse, e ela abriu os olhos, que se arregalaram com aquela visão extraordinária.

— Não consigo acreditar! Nunca vi tantos livros na minha vida toda!

A Fera não esperava se sentir assim, não esperava o que significaria para ele fazer alguém tão feliz.

— Você... você gostou? — ele perguntou, e ela gostou, mais do que conseguia expressar.

— É maravilhoso! — ela disse, mais feliz do que nunca estivera antes.

– Então é sua. – E ele sentiu algo totalmente inesperado. O que começara como uma maneira de aproximá-los a fim de tentar quebrar o feitiço se transformou em outra coisa, que ele não entendia.

Amava fazê-la feliz.

– Ah, muito obrigada! – Livros! Livros a deixavam feliz. Ela não era como qualquer garota que ele conhecera, e ele pensou que talvez gostasse disso. Na verdade, tinha certeza de que gostava.

Capítulo XXI

A Bela e a Fera

As três irmãs estavam em pânico. Até elas conseguiam ver que Bela estava se aproximando da Fera, e a Fera – bom, estava vivendo algo bem único na vida e completamente aterrorizante para as bruxas.

Elas tinham que fazer alguma coisa.

Estavam superocupadas vigiando a Bela e a Fera, e agora também Gaston, já que enviaram Pflanze para ficar de olho nele. Ficaram tão atarefadas que não saíam de casa por medo de perder uma oportunidade de enfiar suas garras mais profundamente no coração frio do príncipe.

– Olhem para eles brincando na neve! – resmungou Ruby.

– Nojento! – cuspiu Martha.

A FERA EM MIM

– Vejam o jeito que ela olha para ele! Espiando-o tímida por trás da árvore! Vocês não acham que ela está se apaixonando por ele, não é? – gritou Lucinda.

– Ela não pode!

As irmãs passavam todo o tempo espionando os dois e, a cada dia, seu pânico aumentava. Estava ficando dolorosamente claro que estavam se apaixonando!

– Aqueles malditos empregados não estão ajudando. Eles planejam uma cena romântica a cada oportunidade! – gritou Ruby.

Ruby, Martha e Lucinda deveriam estar desgrenhadas quando Circe voltou de sua visita ao castelo Morningstar. Quando a ouviram entrar, as três se transformaram em uma, assustadas ao ver sua irmãzinha na porta.

– Oh! Olá! – elas disseram juntas, parecendo espantosamente cansadas e malucas pelas longas noites de agitação, espionagem e conspiração.

– O que é tudo isso? – Circe perguntou.

Lucinda tentou fazer sua melhor expressão, embora não tivesse se visto no espelho por muitos dias e, por isso, não fazia ideia de quanto parecia assustadora.

– O que quer dizer, querida? – ela disse, com a voz trêmula e atrapalhada.

Circe semicerrou os olhos, olhando como se estivesse analisando-a para descobrir algum fio de verdade.

A Bela e a Fera

— Este lugar! Está um desastre! O que estiveram fazendo?

As três irmãs apenas ficaram paradas. Pela primeira vez, não sabiam o que falar. Os cachos de Lucinda estavam emaranhados como um ninho de passarinho, com pequenos pedaços de erva seca e cera de vela grudados neles, enquanto a saia vermelha de seda de Ruby estava coberta por cinzas e as penas em seu cabelo estavam espetadas de um jeito mais estranho do que o normal, e a pobre Martha — seu rosto estava sujo de algum tipo de pó laranja.

Todas elas estavam diante de sua irmãzinha agindo como se sua aparência estivesse normal como sempre — como se Circe fosse idiota ou não tivesse olhos para ver que estavam tramando algum tipo de plano.

— Trabalhando em um feitiço, estou vendo! — Circe resmungou. — Sabem, o que quer que estejam fazendo, resolvi que não quero saber! Sinceramente, não estou a fim de lidar com o que quer que seja! Então, ninguém vai me perguntar como foi com a bruxa do mar?

Ruby murmurou:

— E como foi, querida? Mandou nossos cumprimentos?

Circe ficou alerta pelo som na voz de sua irmã, mas guardou as perguntas sobre o que elas estavam fazendo para si mesma.

A FERA EM MIM

– Ela está muito bem, e estava quase agradecida pela troca. – Ela continuou: – Sabem, de todos os seus amigos estranhos, a Úrsula é minha preferida. Ela é muito divertida.

As irmãs riram, coaxando, suas vozes roucas da cantoria infinita.

Circe não conseguiu evitar perguntar desta vez:

– Sério, o que estiveram fazendo? Olhem para vocês. Estão uma bagunça, e o que aconteceu com suas vozes? Por que estão tão roucas?

As irmãs se entreolharam e, quando Lucinda assentiu, Ruby pegou um colar do bolso.

– Compramos isso pra você! – Ela sacudiu o lindo colar na ponta dos dedos, balançando-o para a frente e para trás, em uma tentativa de distraí-la. Era um colar bonito, prateado com pedras cor-de-rosa claro.

– Isso! Compramos um presente para você, Circe! – disse Martha, e Circe estreitou os olhos diante da estratégia das irmãs.

– Acham que sou idiota e que vão me distrair tão facilmente?

Martha franziu o cenho dramaticamente.

– Pensamos que iria gostar! Prove!

Lucinda correu para perto de Circe como uma criancinha animada, com seu rosto pálido abatido e seu batom vermelho borrado.

164

A BELA E A FERA

– Isso, prove! Acho que vai ficar adorável.

Lucinda foi para trás de Circe e colocou o colar nela.

– Ok, tudo bem! Vamos ver como ficou, se isso vai deixá-las felizes – Circe disse.

E, quando Lucinda colocou o colar, Circe desabou nos braços preparados da irmã.

– Isso mesmo, irmãzinha, durma!

As três bruxas carregaram Circe até seu quarto e a colocaram na cama de pena macia, onde ela dormiu feliz, para que suas irmãs pudessem continuar seus planos diabólicos sem nada para atrapalhar.

– Vamos acordá-la quando acabar, nossa doce irmãzinha, e vai nos agradecer por vingar seu coração partido.

– Ninguém machuca nossa irmãzinha!

– *Shhh! Você vai acordá-la!*

– Nada vai acordá-la, não até tirarmos esse lindo colar de seu lindo pescoço…

– Ela não vai ficar brava conosco, vai?

– Ah, não, não pode ficar, estamos fazendo isso para o bem dela!

– Isso, *o bem dela!*

Capítulo XXII

O espelho encantado

As irmãs haviam visto o suficiente de Bela e a Fera nos últimos dias para saber aonde isso daria; o que, com suas brincadeiras diárias, ações de pombinhos apaixonados e olhares nojentos de carinho, era tudo o que elas podiam fazer para não vomitar. Se algum deles tivesse a ousadia de beijar, seria o fim. O feitiço seria quebrado. Graças a Hades, Bela e a Fera eram muito tímidos para dar o primeiro passo, então, por enquanto, o feitiço das bruxas estava seguro. O que elas precisavam fazer era focar a atenção em alguém que pudesse separar Bela da Fera antes de o desastre acontecer, e foi aí que tiveram uma ideia.

Elas se juntaram de novo perto do fogo, desta vez jogando um pó prateado que brilhou e soltou um cheiro podre.

A FERA EM MIM

– Faça-a sentir falta do querido papai, mostrar a Bela seu maior medo você vai.

As risadas das bruxas cresciam em uma confusão cacofônica que viajou com os ventos para o castelo encantado da Fera, provocando uma sensação ruim nos apaixonados que davam as mãos à luz da lua.

As irmãs observaram.

– Bela, está feliz comigo? – As patas enormes da Fera envolviam as mãos pequenas dela conforme esperava por sua resposta.

– Sim – ela disse, desviando o olhar.

– O que foi?

Seu coração parecia partido.

– Se ao menos eu pudesse ver meu pai de novo, só por um instante. Sinto tanta falta dele.

– Há um jeito – ele disse.

As irmãs ainda estavam observando e prendendo a respiração.

– Ele vai levá-la para a Ala Oeste! – Ruby sussurrou, como se os dois amantes pudessem ouvir os comentários das irmãs.

– Mostre a ela seu espelho! – Martha gritou.

– Acalmem-se, Irmãs. Ele vai mostrar o espelho – Lucinda disse, sorrindo e assistindo para ver o que aconteceria a seguir.

O ESPELHO ENCANTADO

– Shhh! – Martha chiou. – Ele está falando alguma coisa!

– Este espelho pode lhe mostrar qualquer coisa, qualquer coisa que desejar ver.

As irmãs tiveram que cobrir a boca para abafar os gritos de alegria que ameaçavam explodir de seus lábios vermelhos.

– Pegue! Pegue o espelho! – Lucinda gritou, tentando fazer Bela pegar o espelho encantado da Fera. – Ela pegou!

– Eu gostaria de ver meu pai, por favor – Bela disse ao olhar para o pequeno espelho.

As irmãs entoaram suas palavras malvadas mais uma vez.

– Faça-a sentir falta do querido papai, mostrar a Bela seu maior medo você vai!

Suas gargalhadas ecoaram pelas terras vizinhas e, com elas, sua magia abominável. Bela sentiu um arrepio horrível.

– Oh, papai! Ah, não! Ele está doente, talvez morrendo, e está sozinho.

Ruby bateu na tigela de cristal e a água espirrou no chão de madeira da casa de biscoito de gengibre. Elas não podiam mais ver Bela nem Fera ou obrigá-los a fazer o que elas queriam.

A FERA EM MIM

– Martha, rápido, pegue mais água! – Martha pegou a tigela prateada e a encheu com água, derramando um pouco quando devolveu às irmãs, que agora estavam no chão, angustiadas.

– Aqui! Consegui! – ela gritou. – Vejam! Estão começando a aparecer! O que está acontecendo?

Ruby estava esmurrando os punhos no chão molhado sem parar, de forma tão violenta que suas mãos começaram a sangrar.

– Ruby, pare! Ela está indo embora! Vai até seu pai! Ele a libertou!

O rosto de Ruby estava manchado com lágrimas pretas.

– Mas ele lhe deu o espelho? Ela vai levá-lo? Fomos incapazes de terminar o encanto!

Lucinda olhou para suas irmãs exaustas, acabadas por muitos dias de bruxaria.

– Não há necessidade de preocupação, Irmãs, ela estava com o espelho quando partiu.

Ruby deu um sorriso maquiavélico.

– Tudo está em seu devido lugar, então. Perfeito.

As risadas das irmãs odiosas preencheram o cômodo conforme focaram a atenção em alguém que não precisava de muita persuasão para ser pilantra.

CAPÍTULO XXIII

A CONSPIRAÇÃO DAS BRUXAS

Gaston estava se sentando para um grande banquete em sua sala de jantar, que era totalmente decorada com muitos animais que ele matara durante suas inúmeras caçadas. A cadeira na cabeceira da mesa, na qual estava sentado, é claro, era decorada com chifres de alce e coberta por peles de animal. Seu queixo furado estava mais empinado do que o normal, o que era uma manifestação de seu bom humor – isto é, até as três irmãs entrarem tumultuando, perturbando o banquete particular.

– Escutem aqui, bruxas fedorentas! Não vou permitir que entrem e saiam da minha casa sem avisar!

– Desculpe atrapalhar sua refeição, Gaston, mas temos novidades que talvez ache interessantes.

Gaston fincou sua faca na mesa de jantar de madeira.

— Primeiro vocês mandam aquela criatura imunda sorrateira me vigiar, e agora isso! Aparecem quando querem, para me pedir alguma coisa, sem dúvida!

Ruby inclinou a cabeça para a direita, prestes a falar, mas foi Martha que defendeu Pflanze.

— Ela não está aqui para te espionar, Gaston. Está aqui para te ajudar.

A risada de Gaston competia com a das bruxas; preenchia o salão e reverberava nos ouvidos delas.

— Me ajudar? Me ajudar? Por quê? Sou o homem mais forte e mais atraente do vilarejo!

As irmãs olharam pasmas para ele, perguntando-se se ele, ou alguém, realmente acreditava nisso.

— Sim, te ajudar, Gaston. Encontramos Bela, e ela está indo ver o pai agora.

Gaston focou seu olhar nas bruxas pela primeira vez desde que elas chegaram. Finalmente haviam chamado a atenção dele. Seus vestidos eram de um vermelho-escuro, a mesma cor de seus lábios, que estavam pintados para parecerem de boneca. Seus cabelos pretos estavam cortados à altura do ombro, com cachos emoldurando seus rostos pálidos e decorados com grandes plumas vermelhas. Elas eram extremamente magras e pareciam ridículas com todas as suas joias, como esqueletos trazidos à vida para comparecer a um baile chique.

— Vocês encontraram Bela?

— Ah, sim, encontramos sua amada! — Ruby cantarolou.
— Ela não será capaz de resistir a você!

Gaston olhou para si mesmo no reflexo de sua faca
brilhante e disse:

— Bom, quem seria?

Lucinda sorriu, tentando não deixar Gaston perceber
sua repulsa.

— Planejamos algumas opções de imprevisto, caso haja
a mínima chance de *ela* ser.

Gaston elevou uma sobrancelha com curiosidade,
mas Martha continuou antes que ele pudesse comentar:

— Gostaríamos que conhecesse um amigo nosso — ela
disse com um sorriso diabólico cortando sua face branca.
A maquiagem fazia com que ficasse linda de um jeito
bizarro. — Um amigo muito querido que achamos que
ficará mais do que feliz em ajudá-lo.

Gaston teve que imaginar com que tipo de pessoas
aquelas bruxas andavam.

— Seu nome é Monsieur D'Arque. Ele administra o
sanatório — Lucinda respondeu, como se tivesse ouvido
os pensamentos dele.

Gaston não estava surpreso pelas irmãs serem amigas
daquele picareta que administrava o sanatório.

Martha explicou:

A FERA EM MIM

– Maurice, o pai de Bela, está delirando sobre uma fera, não está? Talvez o sanatório seja o lugar certo para ele.

Ruby gorjeou ao adicionar:

– Embora tenha certeza de que não haverá necessidade de ele ser internado se Bela casar-se com você. Sei que Maurice seria muito bem cuidado por vocês dois.

Gaston percebeu instantaneamente o que queriam dizer, e ficou estupefato pela brilhante ideia. É claro que levaria o crédito sozinho por ela.

– Hummmm. O pobre velho Maurice *está* delirando como um louco. Outra noite ele estava falando coisas incoerentes sobre Bela ter sido raptada por um monstro.

– Viu? Você estaria fazendo um favor aos dois ao casar-se com Bela. Alguém precisa cuidar daquele pobre homem.

CapÍtulo XXIV

A traição de Bela

D'Arque ficou mais do que feliz por se comprometer com o pedido de Gaston de colocar Maurice no sanatório se Bela não concordasse em se casar com ele. Sabia muito bem que Maurice era apenas um velho homem que amava só uma coisa mais do que seus aparatos barulhentos: sua filha, Bela.

D'Arque estava bem satisfeito. Seu cofre estava cheio, pois fizera uma nova aliança com Gaston, e estava prestes a participar de uma boa conspiração à moda antiga.

Ele tinha consciência de quanto parecia intimidador, iluminado pela luz da tocha, e causar medo era o que mais gostava de fazer. Gaston e seu parceiro chegaram com tudo na frente da casa de Maurice. Havia um grupo de arruaceiros com eles que Gaston juntou na hora em que a taverna estava fechando. Não havia nada mais ameaçador do que um grupo de vândalos depois

A FERA EM MIM

de uma longa noite de bebida com ouro no bolso e ódio no coração – tudo isso, no caso, fornecido por Gaston. Não havia dúvida de que Bela concordaria em se casar com o fanfarrão, e por que não se casar com ele? Ela não conseguiria arranjar coisa melhor. Quem mais na cidade iria querê-la com todo seu jeito estranho?

Bela atendeu à porta com os olhos cheios de medo.

– Posso ajudar? – ela perguntou.

– Vim para pegar seu pai – disse D'Arque. Seu rosto murcho cadavérico era repugnante à luz da tocha.

– Meu pai? – ela perguntou, confusa.

– Não se preocupe, *mademoiselle*, vamos cuidar bem dele.

Bela foi tomada pelo medo, pois entendeu quando viu o carroção de D'Arque ao longe. Eles iriam levar seu pai para o manicômio.

– Meu pai não é louco!

Na salinha de estudo de Fera, onde as bruxas o encontraram pensando, elas observavam tudo o que estava acontecendo pelos olhos de Pflanze.

– Veja! Veja aqui! Ela vai te trair! – disse Ruby, mas a Fera não se aproximava do espelho que as bruxas trouxeram para que ele pudesse ver o que Pflanze via.

– Ela não vai me trair, sei disso!

A risada das bruxas preencheu a cabeça da Fera, deixando-o bravo.

A TRAIÇÃO DE BELA

– Ela nunca te amou! Como poderia?

– Ela era sua prisioneira!

– Ela só fingia te amar para que você a libertasse!

– Como ela poderia amar alguém tão asqueroso como você?

A raiva da Fera cresceu em um nível perigoso. Seu rugido fez com que o candelabro chacoalhasse e a sala estremecesse, assustando até as irmãs, mas Lucinda insistiu.

– Veja! Aqui está a prova se não acredita em nós! – E mostrou o espelho para ele.

Bela estava parada em frente a uma multidão. Segurando o espelho encantado, ela gritou:

– Mostre a eles a Fera!

Seu rosto apareceu no espelho, feio, assustador e abominável, seu rugido aterrorizando todo mundo.

– Viu! Viu? Ela te traiu! – Lucinda disse ao dançar na sala da Fera.

– Ela nunca te amou! – gritou Ruby, juntando-se a Lucinda em sua dança absurda.

– Ela sempre amou Gaston! – cantarolou Martha, empinando-se como um pavão enlouquecido com as irmãs, que assombravam a Fera.

– Eles vão se casar pela manhã depois de ele te matar! – Todas elas cantavam enquanto dançavam em círculo. – Era o plano deles todo esse tempo, sabia? – Elas gargalhavam enquanto a dança ficava cada vez mais repugnante.

A FERA EM MIM

Finalmente, a Fera foi derrotada. Totalmente arrasado e de coração partido, ele mal conseguia encontrar seus olhares quando pediu que as irmãs fossem embora.

– Por favor, saiam. Conseguiram o que queriam. Sofri por magoar sua irmã. Agora, por favor, quero ficar sozinho.

A risada de Lucinda foi a mais sinistra que ele já ouvira.

– Oh, e você vai ficar sozinho! Sozinho para sempre, para sempre um monstro!

E as irmãs sumiram antes de o som de suas risadas desaparecer da sala fria.

Ele estava sozinho e sabia que tinha causado tudo isso para si mesmo.

Só uma coisa o consolava: tinha, enfim, aprendido o que era amar. E o sentimento era mais profundo e mais significativo do que qualquer coisa que já sentira. Sentiu como se estivesse morrendo. Para morrer, primeiro é preciso estar vivo. E a Fera podia finalmente dizer que, ao encontrar o amor, tinha vivido.

Capítulo XXV

A FESTA DAS BRUXAS

A casa alta e verde com cortinas pretas e um teto de chapéu de bruxa estava delineada de forma muito perfeita com o azul profundo do crepúsculo, como se fosse o recorte de uma casa de bonecas. Nada em relação às bruxas parecia real, nem sua casa. Dentro dela, as bruxas dançavam enquanto assistiam à morte da Fera pelos muitos espelhos encantados que haviam colocado na sala principal. Elas bebiam vinho de mel, derramando-o em seus vestidos roxo-escuros, que esvoaçavam ao redor delas quando giravam, rindo de sua própria insanidade frenética. Elas interrompiam suas palhaçadas só para zombar da Fera e elogiar a si mesmas pelo feitiço ter dado certo.

– Ele desistiu! – delirou Ruby. – Ele quer morrer!

Lucinda zombou:

– Ele está de coração partido, Irmãs. Prefere morrer do que viver sem aquela garota idiota! – As três irmãs riram. – Agora ele sabe o que é ter o coração partido!

As irmãs ficaram ainda mais animadas ao ver o grupo de Gaston chegar.

– Eles estão atacando o castelo! – O grupo de Gaston teria devastado o castelo se não fosse pelos empregados.

– Bando de tolos! – gritou Lucinda. – Estão tentando proteger aquele demônio!

Martha cuspiu ao ver o espetáculo ultrajante entre o grupo e os empregados.

– Irmã! Não cuspa em nossos tesouros! – repreendeu Ruby, e então teve uma visão agradável. – Vejam! Gaston! Ele está lá! Estão lutando no telhado!

As irmãs batiam os pés, debatendo-se de forma selvagem em uma dança maluca enquanto entoavam sem parar:

– Mate a Fera!

Elas falaram essa frase até suas vozes sumirem enquanto assistiam ao encontro sangrento entre os velhos amigos, que agora estavam enfeitiçados para que não se lembrassem um do outro. A Fera nem tentava revidar. Gaston iria matá-lo, e parecia que era o que a Fera queria, conforme as irmãs esperavam que ele fizesse.

– Mate, mate, mate a Fera! – elas gritavam, como se Gaston pudesse ouvir suas palavras, mas algo mudou,

A FESTA DAS BRUXAS

alguma coisa não estava certa. A Fera viu algo que as irmãs não conseguiram ver. O que quer que fosse, havia lhe dado vontade de lutar.

– O que aconteceu? – elas gritaram enquanto corriam de espelho em espelho, tentando ver o que teria acontecido para incentivar a Fera a lutar, e então viram.

Bela.

Aquela garota horrorosa, Bela!

– Deveríamos tê-la matado quando tivemos chance! – Ruby gritou.

– Nós tentamos!

Lucinda, Ruby e Martha assistiram à Fera vencer Gaston. O monstro o segurou pela garganta, balançando-o na lateral do castelo.

– Rápido, peguem a tigela de cristal! – Lucinda procurou na despensa por óleos e ervas que precisavam para o feitiço enquanto Ruby enchia a tigela prateada de água e Martha pegava o ovo do recipiente gelado. O ovo submergiu na água como um olho maléfico enquanto Ruby jogava óleos e ervas.

– Faça a Fera se lembrar de quando eles eram jovens.

Martha e Ruby olharam para Lucinda, boquiabertas.

– O quê? – Lucinda estava em pânico.

– Não rimou, Lucinda!

Lucinda virou os olhos, aborrecida.

A FERA EM MIM

– Não tenho tempo para pensar em rima! Só repitam! – Ruby e Martha se entreolharam, mas não repetiram a frase. – O quê? – Lucinda perguntou de novo.

– Não é tão divertido se não rimar.

Lucinda verificou os espelhos. A Fera ainda segurava Gaston pelo pescoço e estava prestes a soltá-lo.

– Irmãs, repitam comigo agora se querem salvar Gaston!

Ruby e Martha cederam.

– Tudo bem! Faça a Fera se lembrar de quando eles eram jovens. – A voz delas saiu sem vida e sem entusiasmo.

– Digam de novo! – gritou Lucinda. – Digam mais alto!

– Faça a Fera se lembrar de quando eles eram jovens – as irmãs guinchavam.

– Lembre-se de quando eram garotos e ele salvou sua vida! Só por um instante, *lembrem-se um do outro* – Lucinda gritou. Então, olhando para as irmãs, complementou: – Não olhem assim para mim! Quero ver fazerem melhor!

Ruby ficou paralisada por alguma coisa que apareceu no espelho mais próximo.

– Vejam, funcionou, ele está libertando-o!

A Fera estava trazendo Gaston de volta ao telhado pelo pescoço.

– Vá embora! – ele rosnou, jogando Gaston para o lado.

A FESTA DAS BRUXAS

As irmãs sabiam que Gaston não iria embora. Contavam com isso.

– Fera! – Era Bela. Ela estava lhe esticando a mão para que escalasse a torre até ela para beijá-la.

– Não! – lamentaram as irmãs. – *Não!*

Porém, antes de Lucinda poder recitar outro encantamento, suas irmãs gritaram de alegria ao ver Gaston enfiando a faca na lateral do corpo da Fera. O prazer delas foi transformado em medo, no entanto, quando viram Gaston tropeçar e cair da torre do castelo para a morte.

Não importava. Gaston não importava mais – não para as bruxas. Ele havia lhes dado o que elas queriam; a Fera estava morrendo. Estava morrendo nos braços de sua amada, de coração partido.

– Vamos chamar Circe! Ela tem que ver isso!

Capítulo XXVI

A feiticeira

Lucinda entrou no quarto de Circe, observando sua irmãzinha adormecida. Parecia tão tranquila e linda dormindo. Enquanto tirava o colar da irmã, Lucinda sabia que, em seu coração, Circe ficaria agradecida pelo que suas irmãs mais velhas fizeram por ela.

Circe abriu os olhos e piscou, tentando ver qual das irmãs estava olhando para ela com uma expressão de culpa no rosto.

– Lucinda. – Ela sorriu para a irmã.

– Circe, temos uma coisa para te mostrar. Uma coisa muito importante. Venha comigo.

Lucinda levou sua irmã confusa para o outro cômodo. Deve ter sido estranho para Circe, que fora privada dos eventos da noite toda. O cômodo estava iluminado por um número extremo de velas, todas brancas e refletidas lindamente nos espelhos encantados posicionados por todo o espaço. No espelho maior, Circe viu a Fera.

– O que é isso? – ela perguntou ao ir até o espelho e colocar uma mão em sua adorável moldura prateada. – Ele está morto?

As três irmãs estavam paradas lá, com as mãos juntas, como se estivessem ansiosas esperando pelo elogio da irmã. Circe olhou para baixo, para a tigela de cristal, e então de volta para as irmãs. Ela se sentiu enojada, vazia e desumana.

– Vocês fizeram isso? – Ela pensou que fosse vomitar. Elas não responderam. – Vocês o mataram? – ela gritou.

– Não! Foi Gaston. Ele o matou!

Circe não conseguia respirar.

– Com sua ajuda, presumo! – ela disse, jogando a tigela na parede.

– Pensamos que ficaria feliz, Circe! Fizemos isso por você!

Circe encarou suas irmãs em choque.

– Como puderam pensar que eu iria querer isso? Olhe para a garota! Ela está magoada!

Ela estava olhando para Bela pelo espelho encantado.

– Eu te amo – Bela disse para a Fera, e as lágrimas escorreram pela sua face.

A FEITICEIRA

Circe também estava chorando. Seu coração estava cheio de medo e remorso.

– Eu nunca quis que isso acontecesse! – ela continuou. – Vejam! Ela o ama! Isso não é justo. Vou trazê-lo de volta! Vou dar uma chance a ele de quebrar o feitiço.

As três irmãs começaram a gritar em protesto conforme avançavam na irmãzinha, mas a fúria de Circe as jogou de volta até ficarem grudadas na parede.

– Nem mais uma palavra, entenderam? Se disserem mais uma palavra, vou dar suas vozes para a bruxa do mar!

Lucinda, Ruby e Martha sabiam que os poderes de sua irmãzinha eram muito maiores do que os delas, mas sempre conseguiram enrolá-la por ela ser a mais nova. Mas agora parecia que essa época era passado. Elas estavam muito assustadas para falar; como bonecas quebradas, pareciam inanimadas e congeladas em suas poses bizarras conforme Circe continuava a repreendê-las.

– Vou trazê-lo de volta! Vou trazê-lo de volta à vida, entenderam? Se ele a ama também, então o feitiço será quebrado. E vocês nunca conseguirão reverter isso!

Suas irmãs estavam ali penduradas na parede, incapazes ou sem vontade de se mexer, sem dizer uma palavra.

– Nunca mais mexam com o Príncipe ou com Bela! Se fizerem isso, vou cumprir minha promessa! Darei suas

A FERA EM MIM

vozes para Úrsula, e nunca mais serão capazes de usar sua magia criminosa de novo!

As três irmãs só a encararam, com os olhos arregalados, sem dizer nada, como lhes foi ordenado.

Capítulo XXVII

Felizes para sempre

Circe colocou a mão no rosto de Bela pelo espelho. Ela estava chorando sobre o corpo morto da Fera. A pobre coitada pensava que tinha acabado de perder o amor de sua vida.

– Não se eu puder ajudar – disse Circe ao lançar seu feitiço.

Luzes rosadas e prateadas choveram ao redor deles, erguendo o corpo da Fera no ar. Seu corpo girou e se contorceu com as luzes brilhantes até ele não ser mais a Fera, mas, sim, o homem que Circe conhecera há tantos anos. O príncipe. Seu rosto não mais estava desfigurado pela raiva, vaidade e crueldade. Ela podia ver que sua alma havia mudado de verdade.

Com sua magia, Circe circulou os amantes com uma luz que subiu até o céu e voltou em cascata, com uma linda chuva de brilho, transformando o castelo e todos nele em sua forma original.

— Lumière! Cogsworth! Ah! Senhora Potts! Vejam! — gritou o príncipe, vendo seus melhores amigos pela primeira vez em muitos anos.

Circe sorriu ao ver como sua mágica deixou o príncipe e Bela felizes. Eles estavam felizes, apaixonados e rodeados por seus amigos e sua família — incluindo o pai de Bela, que parecia mais do que confuso por estar de repente em um baile elegante quando, minutos antes, estivera em um sanatório apavorante. Mas ele não iria se preocupar com isso agora, porque estava feliz de ver sua querida Bela de novo.

Tudo acabou exatamente como Circe esperava. O príncipe havia finalmente aprendido como era amar — amar de verdade e ser amado.

Ela sorriu de novo, dando uma última olhada no príncipe e em Bela dançando no grande salão antes de desmanchar a imagem do espelho encantado, deixando-os viver e amar felizes para sempre.

FIM